CW00863138

I Jane

Hwdi

Gareth F Williams

Hoffai'r Lolfa ddiolch i:

Mairwen Prys Jones
Huw Vaughan Hughes o Ysgol Bro Morgannwg
Mererid Llwyd o Ysgol Glan y Môr
a Gwenno Wyn o Ysgol Gyfun Ddwyieithog y Preseli
Hefyd, diolch i'r holl ddisgyblion o ysgolion Gwynllyw, Llangefni, Morgan Llwyd a Phenweddig am eu sylwadau gwerthfawr.

Argraffiad cyntaf: 2013
Ail argraffiad: 2017

Comisiynwyd y gyfrol hon gyda chymorth ariannol Adran AdAS Llywodraeth Cymru

Cynllun y clawr: Y Lolfa

Rhif Llyfr Rhyngwladol: 978 1 84771 680 4

Cyhoeddwyd ac argraffwyd yng Nghymru
gan Y Lolfa Cyf., Talybont, Ceredigion SY24 5HE
gwefan www.ylolfa.com
e-bost ylolfa@ylolfa.com
ffôn 01970 832 304
ffacs 832 782

“I know that ghosts have wandered on earth. Be with me always – take any form – drive me mad! Only do not leave me in this abyss, where I cannot find you!”

Emily Brontë, *Wuthering Heights*

“The lawn
Is pressed by unseen feet, and ghosts return
Gently at twilight, gently go at dawn,
The sad intangible who grieve and yearn…”

T. S. Eliot, *To Walter de la Mare*

1

Diwedd mis Tachwedd.

Prynhawn Sul, rhwng tri o'r gloch a hanner awr wedi tri.

Hen ddiwrnod digon annifyr eto. Doedd hi ddim yn bwrw glaw, ond roedd hi'n teimlo fel petai hi. Ar y niwl roedd y bai am hynny. Doedd o ddim yn dew fel y niwl sydd i'w weld mewn ffilmiau am Jack the Ripper a Sherlock Holmes, ond roedd o yno, yn cuddio'r bryniau o gwmpas y pentref, yn oer ac yn wlyb ac yn gwneud i walltiau pawb edrych fel petai pry cop anferth wedi gwau ei we dros eu pennau.

Dail slwjlyd, melyn-brown-ac-oren yn pydru ac yn drewi mewn cwteri, a'r palmentydd yn llithrig dan draed fel petaen nhw'n chwysu saim.

A'r teimlad unwaith eto gan Lois fod rhywun yn ei dilyn.

Roedd o'n gryfach o lawer heddiw, am ryw reswm. Oedd, roedd o wedi digwydd droeon o'r blaen – ers iddi hi a'i mam ddod i fyw yn y pentref, ychydig dros fis yn ôl bellach.

Y teimlad anghyfforddus fod rhywun yn brysio ar ei hôl hi, fel petai eisiau cydgerddded efo hi. Ceisiodd Lois ei anwybyddu i gychwyn – wedi'r cwbwl, mae rhywun newydd mewn lle dieithr yn sicr o deimlo fod llygaid pawb yn ei ddilyn – ond doedd hi erioed wedi llwyddo i'w anwybyddu'n llwyr. Yn hwyr neu'n hwyrach, roedd yn *rhaid* iddi hi droi rownd. A hynny efo'r syniad cryf… na, y *sicrwydd*… bod pwy bynnag oedd o neu hi reit y tu ôl iddi. Efallai efo llaw allan, yn barod i gyffwrdd â'i hysgwydd, i dynnu ei hwd i lawr dros ei hwyneb yn bryfoclyd, i blycio cynffon ei chôt.

Troi'n gyflym, felly – a theimlo'n rêl clown wedyn oherwydd doedd neb yno.

Neb.

Byth. Waeth pryd y byddai hi'n troi – a gwnâi Lois hynny'n sydyn ac yn ddirybudd, yn y gobaith o ddal pwy bynnag oedd yno'n neidio o'r golwg y tu ôl i goeden neu i mewn i ddrws siop.

Ond welodd hi neb erioed. Chlywodd hi'r un smic chwaith. Doedd dim sŵn traed i'w clywed o'r tu ôl iddi, yn arafu wrth iddi hi arafu ac yna'n cyflymu wrth iddi hithau gyflymu.

Dim byd corni fel yna.

Doedd Lois ddim yn deall y peth o gwbwl.

Ond roedd hi wedi dechrau cael llond bol arno erbyn hyn.

Doedd o ddim yn digwydd bob tro y byddai hi'n mynd allan – doedd dim dal arno, a dweud y gwir. Ond roedd Lois wedi sylwi ar un peth: doedd ond yn digwydd pan fyddai hi ar ei ffordd adre.

Fel heddiw.

Wedi piciad allan i siop Spar roedd hi ac ar ei ffordd yn ôl ar draws y cae chwarae a oedd yn rhan o barc y pentref. Os parc hefyd, meddyliodd Lois: *ye olde village greene*? – dwi ddim yn meddwl! Canolbwyntio roedd hi ar beidio â sathru ar faw ci. Roedd hwnnw ym mhobman, er gwaetha'r holl arwyddion o gwmpas y lle'n bygwth dirwyon, a meddyliodd Lois: Does affliw o ots gan rai o'r sglyfaethod sy'n byw yn y lle 'ma. Maen nhw'n gadael i'w hen gŵn gachu lle bynnag y mynnan nhw. Dydy pobol fel yna ddim yn haeddu cael eu galw'n "bobol" – ac mi fydda i'n meddwl o ddifri weithia faint ohonyn nhw sy'n gallu darllen. Ychydig iawn, yn ôl fel mae'r siop bapur yn gwerthu bob un copi o'r *Sun* a'r *Mirror*. Taswn i'n cael fy ffordd fy hun, mi fasan nhw'n cael eu gorfodi i fynd o gwmpas y cae ar eu gliniau â rhawiau bychain a phwcedi yn clirio'r baw o flaen pawb – pawb sy ddim yn berchen ar gŵn, hynny yw. Cyhoeddi eu lluniau yn y papurau lleol, efo'u henwau a'u cyfeiriadau. *Name and shame*, dyna be sy isio'i neud efo nhw…

Rhyw feddyliau fel hyn oedd yn llenwi pen Lois wrth iddi groesi'r cae fel milwr yn croesi cae o ffrwydron, ac roedd hi tua hanner ffordd ar draws y cae pan deimlodd hi'r presenoldeb y tu ôl iddi.

Trodd yn sydyn, yn barod i sgrechian oherwydd roedd o mor gryf y tro hwn, mor uffernol o gryf… cymaint felly nes iddi deimlo'n sicr y gwelai hi rywun yn rhuthro amdani.

Ond… neb.

Doedd y niwl ddim yn ddigon trwchus i guddio rhywun: gallai Lois weld y ddwy gôl a wynebai'i gilydd ar draws y cae chwarae, a'r lloches fysus yn y pen pella a oedd fwy neu lai gyferbyn â'r tŷ lle roedd hi a'i mam yn gorfod byw y dyddiau hyn.

Gallai weld o leiaf gan metr i bob cyfeiriad – i'r gogledd a'r dwyrain, i'r de ac i'r gorllewin.

A doedd neb ar ei chyfyl hi.

Neb o gwbwl.

'W't ti'n fy nghoelio i rŵan?' gofynnodd Marc Morris.

'Mmmm...' meddai Ifan.

'Sori, be? Wnes i ddim clywad yn iawn.'

'Ocê, yndw – reit? Dwi'n dy goelio di. Hapus rŵan?'

Safai'r ddau y tu allan i'r clwstwr o siopau ym mhen pella'r cae. Erbyn iddyn nhw gyrraedd yno roedd Lois tua hanner ffordd ar draws y cae, yn igam-ogamu rhwng y baw ci.

'Tydy pawb yn gorfod cerddad fel 'na wrth groesi'r cae?' meddai Ifan, ond roedd Marc wedi rhoi ei law ar ei fraich.

'Wn i. Nid dyna be dwi'n 'i feddwl,' dywedodd. 'Gwitshia am funud. Ella neith hi mohono fo heddiw...'

Ochneidiodd Ifan, ond yna roedd o wedi gweld Lois yn troi'n sydyn – yn wyllt, bron – gan edrych o'i chwmpas, fel petai rhyw blentyn direidus wedi taflu carreg ati. Ar ôl sefyll yno am ychydig, trodd yn ei hôl a pharhau ar hyd y cae... nes iddi droi eilwaith, yr un mor wyllt. Yna dechreuodd gerdded eto, ond wysg ei chefn y tro hwn ac am ryw fetr neu ddau, cyn troi am y tro ola a brysio o'u golwg.

Syllodd Ifan ar draws y cae fel petai o'n disgwyl iddi hi ddod yn ei hôl a moesymgrymu iddo fo a Marc fel perfformwraig yn cymryd *curtain call*.

'Be oedd hi'n neud, sgwn i?' meddai'n dawel, fel petai o'n siarad efo fo'i hun.

'*Weirdo*,' meddai Marc. Roedd o eisoes wedi sôn wrth Ifan am ymddygiad rhyfedd Lois – roedd o wedi ei gwylio'n gwneud y troi sydyn a bisâr hwn drwy ffenest ei lofft, a edrychai i lawr dros y parc a'r cae chwarae – ond doedd Ifan ddim wedi ei goelio.

Tan heddiw.

'Y peth ydy,' meddai Marc, 'dydy hi ddim jest yn ei neud o wrth groesi'r parc. Dwi wedi'i gweld hi ar y stryd hefyd. Y tu allan i'w thŷ, wrth y giât.'

Edrychodd Ifan arno. 'Be?'

Nodiodd Marc. 'Fel tasa rhywun wedi galw arni.'

'Pwy?' gofynnodd Ifan yn hurt.

Edrychodd Marc arno â rhywbeth tebyg iawn i dosturi. 'Does 'na neb, nac oes, Ifan? Hi sy'n meddwl, yndê, yn dychmygu. Yn clywad petha.' Edrychodd yntau dros y cae chwarae, lle roedd y niwl ychydig yn fwy trwchus erbyn hyn. 'Fel y deudis i – *weirdo*. Ffiw!' ychwanegodd, gan wneud ystum sychu chwys oddi ar ei dalcen.

'Be ti'n feddwl, "ffiw"?' meddai Ifan.

'Meddylia taswn i wedi dechra mynd allan efo hi. Diolch i Dduw 'mod i wedi ffeindio allan am hyn yn ddigon buan.'

Mae 'na gant a mil o betha y medrwn i eu deud rŵan, meddyliodd Ifan. Cyn iddo fedru dewis un ohonyn nhw, rhoddodd Marc waldan ysgafn iddo ar ei ysgwydd.

'Mi fedri ditha anghofio amdani hi rŵan, hefyd.'

'Fi?'

Sbiodd Marc arno'n gam, ac ochneidiodd Ifan. 'Faint o weithia sy isio deud? Dwi ddim yn 'i ffansïo hi, ocê?'

'Ocê, ocê – os w't ti'n deud, Ifs. Os w't ti'n deud, mêt.'

Petai Lois wedi clywed disgrifiad Marc ohoni, efallai y buasai wedi cael ei themtio i gytuno efo fo…

Weirdo…

… oherwydd roedd hi'i hun, weithiau, yn dechrau meddwl efallai ei bod hi'n drysu.

Ond buasai wedi cywiro Marc ynglŷn ag un peth: doedd hi ddim wedi clywed rhywun yn galw arni.

Dim ond teimlo bod rhywun yno'r tu ôl iddi, neu wrth ei hochr, neu'n rhuthro amdani o rywle.

Teimlad fel…

Ochneidiodd. Dyna'r peth, roedd o'n un anodd ei ddisgrifio – hyd yn oed petai hi'n penderfynu sôn amdano wrth rywun. Roedd o fel... wel, dychmygwch eich bod yn blentyn ifanc ac yn chwarae cuddio efo'ch ffrindiau. I mewn â chi i stafell wely, gan wybod fod un ohonyn nhw'n ymguddio yno – yn y wardrob, o dan y gwely, y tu ôl i'r drws neu'r llenni. Ond maen nhw yno yn rhywle – rydych yn gwybod hynny, ac os wnewch chi sefyll yn llonydd yn ddigon hir, mi fyddwch chi'n gallu'u teimlo nhw yno. Mi fyddwch yn gallu teimlo'r tensiwn yn chwyddo'n fwy ac yn fwy gan wneud i'r tu mewn i'ch bol a'r gwallt bach ar gefn eich gwddf gosi'n annifyr. Unrhyw funud, mae pwy bynnag sy'n ymguddio am neidio allan a'ch dychryn yn ofnadwy...

Teimlad fel yna oedd un Lois – a doedd o ddim yn deimlad pleserus, yn enwedig a hithau'n sefyll ar ei phen ei hun mewn cae yng nghanol y niwl. Dyna pam y bu iddi frysio adre, bron â marw eisiau rhedeg ond yn benderfynol o beidio, er ei bod hi'n teimlo drwy'r amser fod yna rywun yn cerdded reit y tu ôl iddi.

Nes iddi hi gyrraedd y tŷ... a heddiw roedd o mor gryf, teimlai'n sicr y buasai wedi dechrau crio petai hi wedi digwydd gollwng yr allwedd wrth iddi drio'i wthio i dwll y clo. A phan faglodd i mewn i'r tŷ o'r diwedd a chau'r drws ar ei hôl yn frysiog, gallai fod wedi taeru iddi gau'r drws yn wyneb rhywun.

'Lois?'

Daeth ei mam, Buddug, o'r stafell fyw'n ddirybudd, gan wneud i Lois neidio a rhoi sgrech fechan. Roedd y naid a'r sgrech yn ddigon annisgwyl i wneud i Buddug neidio hefyd, sefyllfa sy'n gallu ymddangos yn reit ddigri pan fo'n digwydd i rywun arall.

Ond doedd Lois ddim yn teimlo fel chwerthin. 'Ro'n i'n meddwl eich bod chi'n mynd i gael cawod a gwisgo amdanoch,' arthiodd yn flin.

'Be? O... o'n, yn do'n? Ond mi ddechreuais i bendwmpian, eto...' Gwthiodd Buddug ei llaw drwy'i gwallt dan wenu'n llipa. 'Sori...'

Gwasgodd Lois heibio iddi a mynd trwodd i'r gegin. Roedd yna hen arogl sur, anghynnes yn codi oddi ar gorff ei mam. 'Lle 'dach chi isio i mi roi'r pys 'ma?'

'Be?'

Ochneidiodd Lois. 'Y pys. Dyna pam es i allan, i brynu pys. Cofio?'

Daeth Buddug i mewn i'r gegin. Roedd hi'n dal i fod yn ei phyjamas a'i gŵn nos, a'i gwallt yn gaglau i gyd. Cyn mynd i'r siop, roedd Lois wedi golchi'r llestri budron, eu sychu a'u cadw, wedi clirio'r bwrdd a thacluso'r topiau, a rhoi'r poteli gwin gwag yn y bin ailgylchu.

Edrychodd Buddug yn hurt o gwmpas y gegin, fel petai hi wedi mynd i gysgu yn ei thŷ ei hun a deffro mewn tŷ dieithr. Yna sbiodd ar Lois, yn amlwg ar fin rhoi andros o row iddi.

Ddywedodd Lois yr un gair, dim ond syllu arni hi'n ôl.

Ond roedd ei meddwl yn carlamu: Ia, dowch! Deudwch rywbath! Chwilio am y poteli gwin ydach chi, yndê? Maen nhw yn y bin. Croeso i chi sgrialu yno amdanyn nhw ond waeth i chi heb. Maen nhw'n wag. Nid y fi ddaru eu gwagio nhw chwaith. Doedd dim rhaid i mi, achos roeddan nhw'n wag yn barod. Y ddwy ohonyn nhw.

A hynny ar ôl i chi addo y basa'r yfed yn gwella ar ôl i ni symud yma.

Buddug oedd y gynta i droi i ffwrdd. Ac wrth iddi wneud hynny, a dim ond am eiliad, teimlodd Lois drosti yn y modd mwya ofnadwy. Dwi ddim yn bod yn deg iawn efo hi, meddyliodd; chwarae teg, doedd hi ddim wedi yfed cymaint â hynny ers iddi hi a Lois ddod yma i fyw, a theg dweud mai eithriad oedd neithiwr – cysur nos Sadwrn unig ar ôl wythnos o ffonio un lle ar ôl y llall yn chwilio am waith, dim ond i gael ei gwrthod gan bob un.

Rhuthrodd y dagrau i lygaid Lois a daeth o fewn dim i ruthro at ei mam a rhoi andros o hỳg iddi – edrychai mor fach yn ei gŵn nos fawr, drwchus, ac mor ifanc, rywsut, gyda'i fferau gwynion, tenau'n ymwthio allan o'i slipars mawr, fflyffi – slipars a edrychai fel bŵts ieti – ond yna clywodd Lois yr hen arogl budur hwnnw a oedd wedi dechrau codi oddi ar Buddug unwaith eto.

Yn hytrach na'i chofleidio, felly, meddai Lois wrthi, 'Wel? 'Dach chi am fynd am gawod, ta be?'

Trodd oddi wrthi ac agor drws isa'r ffrij a stwffio'r pys i mewn i un o'r droriau rhew. Pan drodd yn ei hôl, roedd ei mam wedi mynd o'r gegin heb ddweud gair.

Ffoniodd ei thad hi'r noson honno. Gwyliodd Lois ei enw'n fflachio ar sgrin ei ffôn symudol. Petrusodd, yna ildiodd ac ateb.

'Helô?'

'Haia! Fi sy 'ma.'

'Wn i.'

'O… reit. Meddwl y baswn i'n ffonio i weld sut wyt ti erbyn hyn.'

'Dwi'n iawn.'

Saib.

Ydy o'n disgwyl i mi ofyn sut mae *o*? meddyliodd Lois. Neu hyd yn oed holi sut mae *hi* – yr *airhead* sbïwch-arna-i honno sy wedi cymryd lle Mam yn ei fywyd o? Ydy o wirioneddol yn disgwyl hynny?

Clywodd ei thad yn clirio'i wddf.

'Bob dim yn mynd yn iawn yn yr ysgol newydd?'

'Yndi.'

Ochneidiodd ei thad. 'Lois…'

'Be?'

Eiliadau o dawelwch eto, yna ochneidiodd ei thad eilwaith. 'Dim byd. Sut ma dy fam?'

'Gofynna iddi hi.'

Roedd Lois wedi hen roi'r gorau i ddefnyddio'r "chi" parchus wrth siarad efo'i thad – credai nad oedd o bellach yn haeddu unrhyw barch. Eistedd ar erchwyn ei gwely roedd hi, a thrwy gornel ei llygad meddyliodd iddi gael cip ar rywun yn brysio heibio i ddrws agored ei stafell.

'Sut ddiawl fedra i, a hitha'n gwrthod torri gair efo fi?' gofynnodd ei thad, yn amlwg yn dechrau colli'i amynedd.

'Ti'n gweld bai arni?'

Safodd Lois a mynd at y drws.

'Ydw! Ma hyn yn... yn...'

'Yn be?'

Brathodd ei phen allan o'i stafell. Doedd neb yno, ac roedd drws stafell ei mam ar gau, fel yr oedd o'n gynharach pan ddaeth Lois i fyny'r grisiau

'Yn hurt bost! Ma hi'n ddynas yn 'i hoed a'i hamsar...' Tewodd ei thad am ychydig. 'Gwranda, jest deud wrtha i sut ma hi, Lois.'

'Braidd yn hwyr i ddechra poeni am Mam rŵan, yn dydy?'

'Lois – *plis*!'

'O, jest gad lonydd i ni, 'nei di? I'r ddwy ohonan ni!'

'Lo...'

Diffoddodd ei ffôn a chamu allan ar y landin. Edrychodd i lawr dros y canllaw gan feddwl bod Buddug yno, efallai hanner ffordd i fyny'r grisiau, yn clustfeinio. Ond doedd hi ddim, diolch byth. Roedd hi wedi cipio'r ffôn oddi ar Lois un tro a sgrechian ar ei chyn-ŵr nes ei bod hi'n gryg.

Roedd hynny wythnos cyn iddyn nhw ddod yma i fyw.

I'r *shithole* yma, meddyliodd Lois. Tŷ a fu ar un adeg yn dŷ cyngor, tŷ cornel ym mhen rhes o ugain ac yn cydredeg ag un o ochrau'r parc. I gyd yn dai preifat rŵan, ond wedyn... tŷ cyngor ydy tŷ cyngor, yndê, meddyliodd Lois Ann Evans, a fu tan yn ddiweddar yn byw mewn honglad o dŷ a phum stafell wely ynddo (dwy yn *en suite*), dau barlwr, stafell fyw, stydi, cegin anferth, dwy stafell molchi arall a gerddi mawrion.

'Dwi'n lwcus 'mod i'n gallu fforddio *hwn*,' meddai Buddug pan oedden nhw'n mudo yma.

Curodd Lois yn ysgafn ar ddrws llofft ei mam cyn ei agor ac edrych i mewn. Dillad dros y gwely ac yn ymwthio o fagiau a chesys fel tafodau powld, yn disgwyl am gael eu didoli a'u hongian mewn gwahanol gypyrddau a droriau, esgidiau a llyfrau ac ambell ddodrefnyn bychan yr oedd ei dynged yn ansicr... ond doedd Buddug ddim yno.

Aeth i lawr y grisiau. Pan aeth Lois i fyny'n gynharach, roedd ei mam wedi dychwelyd i'w chadair a chysgu, y gawod wedi mynd yn angof unwaith eto. Roedd hi'n cysgu'n sownd o flaen y teledu a'i cheg yn hongian yn agored ac yn llac, poer yn sgleinio ar ei gên, ei gŵn nos ar agor yn llydan a'i gwallt yn glymau budron.

'Mam?'

Dim ymateb. Syllodd Lois arni am ychydig. Yna aeth i'r gegin ac estyn y poteli gwin gwag o'r bin ailgylchu. Yn ôl yn y stafell fyw, gosododd un ar y bwrdd coffi a'r llall yn ofalus ar lin Buddug, yn agos at ei llaw. Pan gamodd Lois yn ei hôl a mynd i'w chwrcwd, edrychai Buddug fel petai hi wedi cysgu â'r botel o hyd yn ei llaw.

Gan ofalu bod y ddwy botel i'w gweld yn glir,

defnyddiodd Lois ei ffôn i dynnu llun. Yna anfonodd y llun at ei thad, ynghyd â neges tecst yn dweud:

Roeddat ti isio gwybod sut mae Mam. Fel hyn ma hi.
Hapus rŵan?

Doedd Buddug ddim wedi symud yr un fodfedd drwy gydol hyn i gyd. Syllodd Lois arni eto ac am rai munudau'r tro hwn, gan ddisgwyl y byddai ei thad un ai'n ei ffonio neu'n ei thecstio'n ôl, ond arhosodd ei ffôn yn fud.

O'r diwedd, ymysgydwodd a chychwyn am y drws, gan fwriadu dychwelyd i'r gegin â'r poteli gwin ond yna, wrth iddi gamu allan o'r stafell, trodd Lois yn sydyn o glywed chwerthiniad yn dod o'r tu ôl iddi. Rhyw hanner gigl ddireidus, fel petai ei mam wedi bod yn effro drwy'r amser ac wedi mwynhau cymryd arni ei bod yn cysgu.

'Mam?' meddai Lois eto, a chael dim ymateb y tro hwn chwaith; arhosai anadlu Buddug cyn drymed ag erioed, a'i hwyneb yr un mor llac. Rhaid ei bod hi wedi chwerthin yn ei chwsg neu rywbeth, penderfynodd Lois.

Aeth trwodd i'r gegin. Roedd hi wedi dechrau tywyllu erbyn hynny. Un o'r goleuadau fflworolau'r rheiny oedd yn y gegin, y math sy'n wincian arnoch chi'n bryfoclyd sawl gwaith, cyn dod ymlaen yn llawn. Wrth iddi wyro am y bin ailgylchu yn ystod y wincian hwn, neidiodd Lois eto, gyda sgrech fechan arall.

Roedd rhywun yn yr ardd gefn, yn syllu i mewn i'r gegin drwy'r ffenest.

Yna daeth y golau ymlaen yn llawn, a…

Neb.

Wrth gwrs, neb.

Dim ond hi, yn rhythu'n ôl arni hi'i hun o ddüwch gwydr y ffenest.

2

Roedd hi'n hwyr gan Ifan weld Marc yn mynd adre heddiw. Doedd arno ddim llawer o awydd mynd allan yn y lle cynta, nid ar brynhawn mor ddiflas, ond roedd Marc wedi galw amdano ac roedd yntau'n rhy feddal, roedd yn rhaid iddo gyfadde – yn rhy lywaeth, yn rhy hurt – i ddweud na.

Ambell ddiwrnod, er mai Marc oedd ei fêt gorau, gallai Ifan ei ysgwyd nes fod ei ddannedd o'n clecian fel castanéts – ac roedd heddiw'n un o'r dyddiau hynny. Y busnes ffansïo, dyna be oedd. Roedd hi'n hen bryd i Marc Morris dyfu i fyny, meddyliodd Ifan; doedd y ffaith ei fod o – "EmAndEm", fel roedd o'n casáu cael ei alw – yn glafoerio fel hen gi ar bob hogan a welai, ddim yn golygu fod pawb arall yr un fath â fo.

Mae yna wahaniaeth rhwng ffansïo rhywun a'u *ffansïo* nhw. Ond doedd Marc ddim fel petai'n deall hynny. Ar ben hynny, roedd o dan yr argraff fod y rhan fwya o genod yn ei ffansïo'n ôl – ac yn ddall i'r ffaith eu bod nhw i gyd, bron, yn edrych arno fel tasa fo newydd gropian allan o ben ôl y sgync mwya anghynnes ar wyneb y ddaear.

Ac roedd Marc wedi cael y syniad yn ei ben fod Ifan wedi cymryd ffansi at Lois Evans.

Dim ond dangos diddordeb ynddi roedd Ifan: wedi'r cwbwl, roedd Lois yn "hogan newydd" yn yr ysgol a'r pentref, fel roedd Ifan yn "hogyn newydd" dair blynedd yn ôl. Ac os nad ydych chi'n anghyffredin o lwcus, dydy bod yn berson newydd mewn unrhyw ysgol ddim yn deimlad braf.

Ond doedd dim dal pen rheswm efo Marc. Rai dyddiau'n ôl, roedd o wedi agor ei geg fawr ym mhresenoldeb...

... (*ochenaid ddofn rŵan*)...

... Siân Parri.

Ar Ifan roedd y bai, mae'n siŵr, am holi Siân ynglŷn â Lois gan gymryd fod Marc wedi mynd am adre, heb sylwi fod y sgerbwd yn hofran gerllaw.

'Pam, Ifan?' gofynnodd Siân ar ôl i Ifan ei phledu â chwestiynau. Roedden nhw newydd gamu oddi ar y bws ar ddiwedd y prynhawn ac roedd Lois wedi cerdded i ffwrdd am ei chartre heb sbio un waith i gyfeiriad Ifan.

'Mae o'n 'i ffansïo hi, dyna pam,' meddai llais Marc o'r tu ôl iddo, gan wneud i Ifan neidio'n euog.

'W't ti?' gwenodd Siân.

'Yndi, mae o,' meddai Marc.

'Dwi ddim!' gwadodd Ifan, yn ymwybodol fod ei lais yn swnio'n annaturiol o uchel, bron iawn yn ffalseto.

'Hmmm, *methinks the gentleman doth protest too much*,' meddai Siân – a'r peth ofnadwy oedd, roedd hi'n dal i wenu.

Teimlodd Ifan ei enaid yn crebachu fel paced creision gwag ar dân glo. Siân Parri oedd ei gyfrinach fawr a'r gwir reswm pam ei fod o'n gwybod y gwahaniaeth rhwng ffansïo rhywun a *ffansïo* rhywun – oherwydd roedd o'n ffansïo Siân Parri go iawn. Doedd o ddim wedi sôn gair am hyn wrth yr un enaid arall, yn enwedig wrth Marc Morris: byddai'r sglyfath arwynebol hwnnw'n siŵr o faeddu'r hyn a deimlai Ifan tuag at Siân.

A dyma lle roedd hi rŵan yn gwenu fel giât ar ôl clywed Marc yn dweud fod Ifan yn ffansïo rhywun arall, yn hytrach na rhedeg i ffwrdd dan feichio crio.

'Na, onest – dwi ddim yn 'i ffansïo hi,' meddai mewn llais dipyn dyfnach. 'Dwi jest yn... wel, yn teimlo drosti,' ychwanegodd yn llipa, gan anwybyddu'r babŵn Marc hwnnw'n rhowlio'i lygaid fel petai ar fin cael ffit neu rywbeth.

'Pam?' holodd Siân.

'Ymm... dwn i'm. Am 'i bod hi wastad ar ei phen ei hun, ma'n siŵr. Dwi'n siŵr 'i bod hi'n unig.'

'Ei dewis hi ydy hynny,' meddai Siân gan sniffian.

'Be ti'n feddwl?'

'Dwi wedi gofyn iddi droeon ydy hi isio dŵad allan rywbryd. Piciad i'r dre ar ddydd Sadwrn a ballu. Ond ma hi wastad yn gwrthod. Rydan ni wedi trio a thrio efo hi, Ifan – fi a rhai o'r genod eraill.'

'Swil ydy hi,' nodiodd Ifan.

'Swil? *Weird*, os ti'n gofyn i mi,' meddai Marc.

'Dwi ddim *yn* gofyn i chdi...' cychwynnodd Ifan, ond roedd Marc wedi gweld ei gyfle i fod yn gyfoglyd o smŵdd.

'Mond rhywun *weird* fasa'n gwrthod y cyfla i fynd allan efo chdi, Siân.'

Roedd Ifan wedi troi i ffwrdd gan wneud ystum

gwthio'i fys i ben pella'i wddf a chwydu... ond yn ddistaw bach, hoffai'n fawr petai o'i hun wedi meddwl am ddweud rhywbeth fel hyn (ond heb y wên-codi-pwys honno a wisgai Marc Morris ar ei wep afiach).

'Diolch, Marc.' Gwenodd Siân ar Marc fel y breuddwydiai Ifan amdani hi'n gwenu arno fo. Teimlai'n sâl wrth wylio Marc yn blodeuo dan y wên; roedd yr hogyn yn chwyddo fel un o'r *puffer fish* rheiny a welodd Ifan ar un o raglenni natur David Attenborough yn ddiweddar.

Rhoddwyd hoelen arall yn arch Ifan pan drodd Siân ato. Roedd hi'n dal i wenu, ond roedd y wên yn wahanol i'r un a roes i Marc. Gwên oedd hon a awgrymai'n gryf ei bod hi'n ystyried Ifan yn... wel, yn ddigri.

'Pob lwc efo Lois,' meddai. 'Fasat ti'n leicio i mi ga'l gair efo hi?'

'Be? Asu, na 'swn!'

'Siŵr? Paratoi'r ffordd i chdi?'

'Na, plis paid! Na...' crawciodd Ifan.

Cerddodd Siân i ffwrdd, ar ôl dymuno pob lwc iddo fo efo geneth arall nad oedd o hyd yn oed yn ei ffansïo. Ac oedd, roedd hi'n chwerthin wrth fynd, ac os oedd enaid Ifan wedi crebachu wrth iddi wenu'n gynharach, yna roedd ei galon wedi penderfynu mai gwaelodion ei esgidiau oedd y lle i fod wrth iddo'i gwylio'n mynd.

Diolch byth am y niwl, meddyliodd Ifan; petai Marc Morris yn ei weld o rŵan, byddai'n argyhoeddedig ei fod o wedi cymryd ffansi go iawn at Lois Evans. Ond hyd yn oed petai Marc yn digwydd bod yn edrych allan drwy ffenest ei lofft a thros y parc, roedd y niwl yn ddigon trwchus i guddio Ifan. Wedi'r cwbwl, os na fedrai Ifan weld tŷ Marc o lle roedd o, yna go brin y byddai Marc yn gallu'i weld yntau.

Am ryw reswm – a phetai rhywun wedi cynnig mil o bunnoedd iddo fo yn y fan a'r lle, fuasai Ifan ddim wedi gallu dweud beth oedd y rheswm – roedd o wedi penderfynu mynd adre, nid ar hyd ei ffordd arferol, ond ar draws y cae chwarae gan ddilyn camau cynharach Lois.

Nid fod ganddo lawer o amser i geisio deall pam, oherwydd roedd o'n rhy brysur yn ceisio osgoi'r holl faw ci a lechai yn y glaswellt gwlyb fel yr hen bysgod bach milain, danheddog rheiny sy'n ymguddio mewn tywod ar wely'r môr ac yn y mwd ar wely afon. Tybed ai dyma pam roedd Lois Evans wedi perfformio'r ddawns fisâr honno'n gynharach, wrth groesi'r cae? Ai neidio er mwyn osgoi'r holl faw ci roedd hi – ond ei bod wedi methu â'i osgoi, yna wedi dawnsio â chynddaredd cyn sbio o'i chwmpas yn gyflym rhag ofn fod rhywun wedi ei gweld, ac yn cael hwyl am ei phen?

Wrthi'n meddwl am hyn roedd Ifan pan deimlodd ryw feddalrwydd anghynnes dan ei esgid.

'Blydi cŵn!' taranodd. Yna, 'Blydi moch anghyfrifol!'

am y bobol oedd biau'r troseddwyr cïol. Ac yntau wedi gwneud mor dda, hefyd; roedd o bron iawn â chyrraedd pen pella'r cae heb unrhyw anffawd. Sôn am foddi wrth ymyl y lan!

Aeth ati i geisio glanhau ei esgid ar y glaswellt ond roedd y stwff yn glynu fel gelen. Doedd dim amdani ond hopian dros y palmant at y lloches fysus, a golchi ei esgid drwy ei swishian yn ôl ac ymlaen mewn pwll dŵr a gafodd ei greu gan gwter a oedd wedi'i thagu gan hen ddail a sbwriel.

Wrth iddo wneud hynny, roedd yn ymwybodol iawn mai Heol y Parc oedd enw'r rhesaid o hen dai cyngor yr ochr arall i'r ffordd. Ac mai'r tŷ ar y gornel, yr un cynta yn y rhes (neu'r un ola os oeddech chi'n dod o'r cyfeiriad arall, wrth gwrs), oedd cartre Lois Evans.

Tybed a oedd hi'n ei wylio rŵan ac wedi'i weld yn gwneud ffŵl ohono'i hun funud ynghynt? Mentrodd giledrych i gyfeiriad y tŷ. Roedd llenni'r stafell flaen – y stafell fyw, tybiai Ifan – wedi'u cau, ond roedden nhw'n ddigon tenau iddo fedru gweld golau'r sgrin deledu trwyddynt. Fel arall, roedd y tŷ mewn tywyllwch – y tu blaen iddo, beth bynnag.

Aeth i eistedd y tu mewn i'r lloches fysus er mwyn archwilio'i esgid. Hyd y gwelai gyda chymorth golau oren y stryd, roedd dŵr y gwter a'r holl grafu a wnaeth Ifan yn erbyn gwefus y pafin wedi'i glanhau'n reit dda. Un peth sy'n saff, meddyliodd, dwi ddim am gerdded yn ôl ar draws y cae sglyfaethus yna, dim ots gen i faint o amser gymerith hi i mi fynd rownd y parc.

Penderfynodd fod eisiau sbio'i ben o am fod yma o gwbwl, am ufuddhau i ryw fympwy hurt. Ond, i Ifan, roedd rhyw ddirgelwch rhyfedd yn perthyn i Lois. Doedd neb i'w weld yn gwybod rhyw lawer amdani, dim ond ei bod hi'n byw yma efo'i mam ar ôl mudo o ryw bentref y tu allan i Landudno na chlywodd Ifan amdano erioed. Hyd y gwyddai pawb, unig blentyn oedd hi: beth oedd hanes ei thad, dyn a ŵyr, ac ychydig iawn roedd neb wedi'i weld ar ei mam, heblaw am ambell gip ohoni rhwng y tŷ a'r car.

Wrth hel meddyliau fel hyn, bu Ifan yn syllu dros y ffordd ar dŷ Lois Evans heb sylweddoli ei fod o'n gwneud hynny. Dechreuodd edrych i ffwrdd wrth i fws arafu, un o'r ychydig fysus oedd i'w cael yma ar ddyddiau Sul... a rhoes naid fechan pan sylweddolodd fod rhywun yn sefyll yng nghysgodion ochr tŷ Lois, yn yr ardd, rhwng wal allanol y tŷ a'r gwrych uchel a redai ar hyd ei ochr.

Yna cyrhaeddodd y bws a'i frêciau'n hisian fel nadroedd wrth i'r drysau glatran ar agor. Cododd Ifan gan drio gweld dros y ffordd drwy ffenestri'r bws.

'Hoi!'

Neidiodd.

'W't ti'n dŵad ymlaen, ta be?' chwyrnodd gyrrwr y bws arno.

'Y? Nac 'dw... sori...'

'Blydi llo!'

Swniai'r brêciau fel petaen nhw'n hisian yn fwy piwis nag erioed wrth i'r gyrrwr eu gollwng a gyrru i ffwrdd ond prin y sylwodd Ifan: roedd ei lygaid ar y tŷ dros y ffordd.

Doedd dim golwg o neb yno'n awr.

Welodd o rywun o gwbwl? Doedd o ddim mor siŵr erbyn hyn. Dim ond cip sydyn gafodd o – *os* cafodd o un.

Ond buasai wedi taeru...

'Dwi'n gobeithio nad ydach chi'n meddwl dechra'ch nonsans unwaith eto,' meddai llais o'r tu ôl iddo.

Trodd Ifan i weld dyn mewn oed yn gwgu arno. Dyn tal a llydan mewn côt law a chap stabal am ei ben, a oedd newydd gamu oddi ar y bws. Gwyddai Ifan pwy oedd o – Jac rhywbeth-neu'i-gilydd. Barrett? Bassett? Rhywbeth fel yna. Dyn a oedd yn dipyn o foi yn ei ddydd, yn ôl pob sôn.

'Tacla,' meddai Jac-rhywbeth-neu'i-gilydd. 'Ffernols bach.'

'Be?' meddai Ifan. 'Pwy?'

'Chdi a dy gang, yndê.' Gwnaeth Jac sioe fawr o sbio o'i gwmpas fel petai'n chwilio am rywun. 'Wela i ddiawl o neb arall yma.'

'Sgen i ddim gang,' protestiodd Ifan.

Ond doedd Jac ddim yn gwrando arno. ''Dan ni 'di ca'l llonydd reit dda oddi wrthoch chi am sbelan rŵan, ac felly ma petha am aros hefyd. Ti'n dallt?'

'Y... nac 'dw.'

Craffodd Jac arno. 'Ti'n trio bod yn ddigri?'

'Nac 'dw! Ylwch – dwi *ddim* yn dallt. Pam 'dach chi'n deud hyn wrtha i?'

'Rhyw betha fath â chdi, rhyw gybia ifanc yn gneud dryga ac yn cadw reiat tan berfeddion y tu allan i dai pobol barchus.' Dechreuodd bwnio Ifan yn ei frest â bys a deimlai fel dril niwmatig. 'Dydach chi ddim yn ddigon o fois i ddangos eich wyneba, mond cuddiad y tu ôl i'r hen hwds 'ma sy gynnoch chi. Iobs! Mi aethon ni drw uffarn efo chi ar un adag, ond dydan ni ddim am 'i ddiodda fo eto, w't ti'n clywad? Felly, deud wrth dy grônis am gadw'n ddigon clir o fan 'ma.'

Gan roi un pwniad ola iddo â'i fys, trodd Jac i ffwrdd a chroesi'r ffordd am ei dŷ.

Rhythodd Ifan ar ei ôl. Oedd y dyn yn gall? Doedd gan Ifan yr un syniad am be roedd o'n paldaruo. Rhwbiodd ei frest: roedd y bwbach wedi ei frifo, hefyd, â'i hen fys caled. Ac yntau'n hollol ddiniwed, chwarae teg. Daeth llinell o ryw gerdd a ddarllenodd yn yr ysgol dro yn ôl i'w feddwl: "Yr addfwyn rai sy'n dwyn y bai, o hyd, o hyd..." Gwyliodd Ifan y Jac-rhywbeth-neu'i-gilydd yn mynd i mewn i'r tŷ drws nesa i dŷ Lois Evans, a chau'r drws. Taswn i'n iob go iawn, meddyliodd, mi faswn i'n lluchio bricsan drwy ffenast y crinc er mwyn dysgu gwers iddo fo. Trodd i fynd, gan daflu un golwg arall i gyfeiriad tŷ Lois Evans. Na, doedd neb yno.

Er hynny, cafodd y teimlad cryf fod rhywun yn ei wylio o'r cysgodion. Edrychodd dros ei ysgwydd droeon wrth gerdded am adre. Welodd o neb, ond erbyn iddo gyrraedd ei stryd ei hun roedd ei gamau wedi cyflymu cryn dipyn a theimlai'n afresymol o falch o gael baglu i mewn i'w dŷ a chau'r drws ffrynt ar ei ôl.

3

Amser actio unwaith eto, meddai Lois wrthi'i hun wrth eistedd ar ei gwely'n sychu ei gwallt ar ôl ei chawod foreol. Amser i mi gamu ymlaen i'r llwyfan mawr a chymryd arnaf fod popeth yn iawn.

Yn normal.

Ond maen nhw'n normal, Lois fach, meddai rhyw hen lais sbeitlyd yn ei chlust. Fel hyn mae dy fywyd di rŵan – dyma beth ydy "normalrwydd" i ti o hyn allan, 'ngenath i. Gorau po gynta y gwnei di dderbyn hynny.

Ar y mur gyferbyn â'r gwely roedd ganddi boster o ddarlun Edvard Munch, *Skrik*, neu y Sgrech, ac fel y gwnâi hi bob bore, syllodd Lois arno. Mae'n enwog drwy'r byd, y darlun o ffigwr tenau â wyneb gwyn yn sefyll ar bont uchel, bren. Mae'r awyr y tu ôl i'r ffigwr yn ffyrnig o oren, fel petai ar dân. Mae dau ffigwr arall ar y bont ond cerdded i ffwrdd y maen nhw; ymhen eiliadau, byddan nhw wedi cerdded allan o'r darlun.

Ond mae ein sylw ni i gyd ar y ffigwr yn nhu blaen y darlun. Ffigwr gwrfenywaidd ydyw – ond roedd Lois wedi penderfynu mai dynes neu ferch oedd hi go iawn. Mae wedi'i gwisgo mewn rhyw fath o goban ddu tra bo'r ddau ffigwr arall mewn cotiau a hetiau cynnes. Does dim math o het gan y ddynes yn y goban ac mae ei phen yn hollol foel.

Nid ei dewis hi ydy bod yn foel, meddyliai Lois

bob tro yr edrychai ar y darlun. Rhywun arall sy wedi shafio'i phen, rhywun mewn awdurdod.

Rhywun... cas.

Mae hi'n siŵr o fod yn fferu, y greadures fach. Un o Norwy oedd Munch, a phont sy'n croesi un o'r *fjords* ger Oslo ydy'r bont.

A hithau mewn dim byd ond coban.

Ond efallai nad ydy hi'n sylwi ar yr oerni gan ei bod yn rhy brysur yn sgrechian â chledrau'i dwylo wedi'u gwasgu'n dynn, dynn dros ei chlustiau – fel petai gwich neu chwiban annioddefol o uchel a main yn gwingo drwy'i phen fel gweillen boeth. Mae hi'n sgrechian mewn poen, neu'n gobeithio y bydd ei sgrechian hi'n boddi pa bynnag dwrw sy'n llenwi'i phen.

Posibilrwydd arall ydy hyn: ei bod wedi crwydro heb sylweddoli – yn ei chwsg, efallai – a'i bod hi wedi deffro'n sydyn a'i chael ei hun ar y bont, uwchben y *fjord*, yn ei choban. Tipyn o sioc fyddai hynny – mynd i gysgu mewn gwely bach clyd a chyfarwydd a deffro ar ganol pont uwchben y dyfroedd oeraf yn Ewrop.

A'i phen wedi'i shafio a dim ond coban amdani.

Dim rhyfedd ei bod hi'n sgrechian.

Efallai, hefyd, ei bod hi'n sgrechian ers tipyn o amser. Ei bod hi'n sgrechian pan gychwynnodd y ddau ffigwr arall dros y bont a'u bod wedi cerdded heibio iddi gan gymryd arnynt nad oedd hi yno o gwbwl, efo'u llygaid wedi'u hoelio ar y pen pella neu ar flaenau'u hesgidiau.

Fel y byddwn ni'n ei wneud pan fyddwn yn cerdded

heibio i rywun digartre sy'n begera ar y stryd, neu rywun sy'n feddw gaib, neu'n paldaruo wrtho'i hun – edrych, ac yna edrych i ffwrdd.

Rhag ofn, drwy ryw ddamwain, i'n llygaid ni gwrdd.

Sylweddolodd Lois fod un ffordd arall o "ddarllen" y darlun – a doedd hi ddim yn hoffi'r syniad, ddim o gwbwl. Gwnaeth ei gorau i beidio â meddwl amdano. Ond fel sydd wastad yn digwydd pan fyddwch chi'n ymdrechu i beidio â meddwl am rywbeth, rydych yn sicr o feddwl amdano, ac erbyn hyn ni fedrai Lois feddwl am ddim byd arall, dim ots pryd yr edrychai ar y darlun.

Sef mai portread o farwolaeth ydyw. Mai ysbryd ydy'r ffigwr tenau ar y bont, a bod y ddau ffigwr arall – y rhai mewn cotiau a hetiau – wedi ei hanwybyddu oherwydd doedden nhw ddim yn gallu ei gweld.

Ac mai dyna pam ei bod hi'n sgrechian nerth ei phen. Oherwydd does neb – a fydd neb chwaith – yn ei gweld na'i chlywed.

Byth, fyth eto.

Sgrech fud ydy'r sgrech, penderfynodd Lois, ac mae'r sgrech gyda'r ddynes-neu-ferch ddydd a nos, yn llenwi'i phen.

Syniad brawychus a phan feddyliodd Lois amdano gynta, cododd groen gŵydd dros bob modfedd o'i chorff a chafodd drafferth cysgu'r noson honno: deffrai bob tro â'r teimlad ofnadwy fod rhywun yn gwyro drosti a'i wyneb ond fodfeddi oddi wrth ei hwyneb hi.

Y ffigwr yn y darlun yn sgrechian yn fud a'i cheg yn llydan agored.

Uwch ei phen – yn ei hwyneb.

Penderfynodd y byddai, drannoeth, yn tynnu'r llun i lawr.

Ond wnaeth hi ddim.

Ac yno roedd o ganddi, o hyd.

'Haia...'

'Haia.'

'Ti'n ocê?'

'Yndw, diolch.'

'Da iawn... grêt...'

Tewodd Ifan. Doedd ganddo ddim dewis: roedd y geiriau'n gwrthod dod. Edrychodd i ffwrdd gan gymryd diddordeb mawr mewn dyn tew yr ochr arall i'r ffordd a oedd yn gosod ei fin sbwriel y tu allan i giât ei dŷ; ar yr un pryd, gallai weld drwy gornel ei lygad, Lois yn ei wylio'n ddisgwylgar, yn amlwg yn aros am ragor, ond yna'n troi i ffwrdd, wedi penderfynu nad oedd mwy o'r sgwrs wych, ysbrydoledig hon i ddod.

Disgwyl y bws i'r ysgol roedden nhw, fo a Lois. Fel arfer, cael a chael a wnâi Ifan i gyrraedd y lloches mewn pryd, ond heddiw roedd o'n anghyffredin o gynnar. Yn hurt o gynnar, a dweud y gwir, ond roedd o wedi codi cyn cŵn Caer fore heddiw, yn dilyn y noson waetha o gwsg a gafodd erioed.

Un freuddwyd gas ar ôl y llall...

Gadawodd y tŷ ymhell cyn ei amser arferol, felly, gan feddwl yn siŵr mai fo fyddai'r unig un wrth y lloches am sbelan reit dda. Ond gwelodd wrth nesáu fod rhywun arall wedi achub y blaen arno, merch dal, denau a'i gwallt tywyll wedi'i dorri'n gwta.

Dwi ddim, meddyliodd Ifan, am drafod petha fel gwaith ysgol efo hi. Ac yn sicr dwi ddim am ddeud petha amlwg am y tywydd. Ar y llaw arall, doedd o ddim yn hoffi'r syniad ohono'i hun yn sefyll wrth ei hochr fel rhyw fynach Trapaidd, heb ddweud na bŵ na be wrth yr hogan druan. Bu'n disgwyl am y cyfle hwn ers wythnosau, wedi'r cwbwl: dim ond y nhw ill dau, neb arall o gwmpas (yn enwedig Marc Morris)... ond teimlai Ifan yn rhyfeddol o nerfus, fel petai o'n ceisio magu digon o blwc i ofyn iddi fynd allan efo fo yn hytrach na dim ond cychwyn sgwrs gyffredin wrth aros am fws yr ysgol.

Yna cofiodd am ymddygiad rhyfedd ei chymydog neithiwr.

'O, ia...' meddai, a throdd Lois ato. 'Y dyn 'na sy'n byw'r drws nesa i chdi. Be ydi'i enw fo – Jac be?'

Ysgydwodd Lois ei phen. 'Dwn i'm.'

Rhythodd Ifan arni. 'Be? Dw't ti ddim yn gwbod pwy sy'n byw'r drws nesa i chdi?'

'Rhyw hen ddyn, ia? Dwi ddim yn 'i nabod o,' meddai Lois.

'O. Reit...'

Od, meddyliodd Ifan; roedd ei gymdogion o, os

rhywbeth, yn boen busneslyd yn ei farn o a Beca, ei chwaer, ond roedd ei rieni wrth eu boddau efo nhw, wastad yn dweud mai un o'r pethau gorau ynglŷn â byw mewn pentref oedd "y gymdogaeth wych".

'Pam, be amdano fo?' gofynnodd Lois, er bod tôn ei llais yn dweud yn glir nad oedd hi'n ysu am gael gwybod chwaith.

Dywedodd Ifan wrthi sut roedd Jac-rhywbeth-neu'i-gilydd wedi ymosod arno fo, fwy neu lai, bnawn ddoe, y fo a'i fys dril niwmatig. 'Roedd o'n fy nghyhuddo i o fod yno'n codi trwbwl, fi a gweddill rhyw "gang".'

'Pa gang?' gofynnodd Lois.

'Dyna'r peth – does 'na'r un,' meddai Ifan. 'Ro'n i ar 'y mhen fy hun bach, yn meindio 'musnas fy hun, pan na'th y boi ddechra arna i. Am ddim rheswm. A deud wrtha i am gadw draw. Mi fasat ti'n meddwl mai fo sy bia'r lle, y ffordd roedd o'n siarad.'

Sylweddolodd fod Lois yn syllu arno'n feddylgar.

'Faint o'r gloch oedd hi?' gofynnodd.

'Neithiwr... wel, at ddiwadd y pnawn,' meddai Ifan. 'Tua pedwar? Anodd deud yn iawn, efo'r niwl 'na ddoe. Newydd ddechra t'wyllu, dwi ddim yn ama.'

'A lle'n union oeddat ti?' gofynnodd Lois.

'Y... dros y ffordd, wrth y *bus shelter*.' Doedd o ddim am ddweud mai wrthi'n golchi'i esgid yn nŵr y gwter roedd o.

'Siŵr?'

Roedd Lois yn craffu arno fel petai hi'n ei amau o fod yn dweud celwydd.

'Wel, ydw. Yn hollol siŵr. Pam?'

'Wnest ti ddim dŵad i mewn i'n gardd ni o gwbwl?'

'Be? Asu, naddo! I be?'

'Dyna be 'swn i'n leicio'i wbod.'

Roedd hi'n syllu arno mewn rhyw hen ffordd gyhuddgar. Ydy hi'n meddwl mai rhyw Peeping Tom ne rywbath ydw i? meddyliodd Ifan. Yna cofiodd fel y bu iddo feddwl bod rhywun yn sefyll yng ngardd tŷ Lois, yn y cysgodion rhwng y wal a'r gwrych.

'Gwranda,' meddai Ifan. 'Mi welis i rywun, dwi'n meddwl. Wrth ymyl dy dŷ di, yn yr ardd.'

'Pwy?'

'Dwi'm yn gwbod. Mond cip arno fo ges i. Mi gyrhaeddodd y bws, ac erbyn i hwnnw fynd, roedd o wedi mynd.'

'Be oedd o'n neud?'

Cododd Ifan ei ysgwyddau. 'Dim byd. Mond... wel, sefyll yno. Dwi'n meddwl...'

'Ti'n meddwl...'

Doedd hi ddim yn ei goelio, gwyddai Ifan. Ond ni fedrai ddweud wrthi am yr holl freuddwydion cas a gafodd neithiwr am bwy bynnag a welodd o'n sefyll yn ei gardd hi. Ac fel roedd o wedi teimlo'r ofn mwya difrifol yn ei freuddwydion wrth iddo droi a rhedeg i ffwrdd ar hyd y cae chwarae gan wybod bod rhywbeth yn rhedeg ar ei ôl.

Rhywbeth a ddeuai'n nes ac yn nes ato ym mhob un freuddwyd...

Na, dwi ddim am sôn gair am hynny wrthi,

meddyliodd. Bydd yr hogan yn meddwl 'mod i'n colli arnaf.

Yna crwydrodd llygaid Lois heibio iddo a daeth gwg fechan i'w hwyneb.

'Oes rhywbath yn bod ar yr hogyn yna, ta be?' meddai.

Trodd Ifan. Roedd mwy o bobol wedi cyrraedd tra oedd o'n sgwrsio efo Lois – ac yn eu plith, wrth gwrs, roedd Marc Morris. Hyd yn oed cyn iddo ddechrau troi'n iawn roedd rhywbeth wedi dweud wrth Ifan mai cyfeirio at EmAndEm roedd Lois, felly ni synnodd ryw lawer o weld y brych yn sefyll yno'n syllu arnyn nhw ac yn wên o un glust stiwpid i'r llall.

Trodd Ifan yn ôl.

'Paid â chymryd sylw ohono fo.'

'Pam mae o'n gwenu fel 'na?'

'Do's wbod. Un fel 'na ydy o...'

Gwyddai Ifan ei fod o wedi dechrau cochi a gallai'i deimlo'i hun yn chwysu dan ei ddillad. Edrychodd Lois arno'n siarp, yna'n ôl ar Marc – a oedd yn dal i grechwenu, yn ogystal â nodio'n arwyddocaol erbyn hyn – cyn troi oddi wrth Ifan ag ebychiad diamynedd.

'Lois...'

'Tyfwch i fyny, 'newch chi? Be bynnag ydy'r jôc, dwi'm isio gwbod, ocê?'

Symudodd ychydig oddi wrtho gan droi'i chefn arno – ac i goroni'r cyfan, pwy oedd yn dod atyn nhw ac yn amlwg wedi synhwyro bod rhywbeth o'i le, ond Siân Parri.

4

'Be 'naethoch chi iddi hi?' gofynnodd Siân, a oedd wedi cornelu'r ddau yn y llyfrgell yn ystod yr awr ginio.

Edrychodd Ifan a Marc ar ei gilydd, Ifan yn gwgu a Marc yn gwneud sioe fawr o edrych yn hollol ddiniwed.

'Dim byd!' meddai'r un diniwed. 'Hwn oedd yn siarad efo hi, yn trio'i tshatio hi i fyny. Es i ddim ar eu cyfyl nhw. Do'n i ddim isio crampio steil Ifs bach!'

Cododd ei law a rhwbio corun Ifan. Gwingodd Ifan oddi wrtho'n biwis.

'Rho'r gora iddi! Ti 'di gneud digon fel ma hi.' Trodd at Siân. 'Mond siarad efo hi ro'n i, Siân. Do'n i ddim yn trio'i "tshatio hi i fyny", dim ots be ma'r clown yma'n ei ddeud. Sôn am y dyn sy'n byw drws nesa iddi roeddan ni.'

'Jac Bennett?' meddai Siân.

'Bennett! 'Na fo! Dwi 'di bod yn trio cofio…'

'Pam oeddach chi'n siarad am hwnnw?' meddai Siân ar ei draws.

'Haslo fi am ddim rheswm roedd o,' meddai Ifan, eiliad cyn iddo sylweddoli ei fod o wedi rhoi'i droed ynddi go iawn, reit i fyny at ei gorn gwddw.

'Roeddat ti yno?' meddai Siân.

'Lle?'

Wrth gwrs, roedd EmAndEm wedi neidio ar hyn fel llewpart rheibus.

'Nunlla!' meddai Ifan, ond yn rhy hwyr.

'Roedd Lois yn deud ei bod hi wedi ca'l cip ar rywun yn 'i gardd hi, yn sbio trw ffenast y gegin. Y chdi oedd o, yndê?'

'Naci!'

'Be?' chwarddodd Marc. 'Wnest ti rioed…?'

'Naddo!'

'Blydi hel, ma hynna'n… *sad*. Ma hynna'n *sad* iawn, Ifs, os ga i ddeud.' Symudodd ymhellach oddi wrtho, fel petai Ifan yn debygol o drosglwyddo rhyw afiechyd iddo. 'Yn dydy, Siân? Un peth ydy ffansïo rhywun, peth arall ydy sleifio i'w gerddi nhw er mwyn sbecian drw'r ffenestri.'

'Ond wnes i ddim!' protestiodd Ifan.

Trodd yn ei ôl at Siân; y peth ola roedd arno'i eisiau oedd i Siân Parri, o bawb, feddwl ei fod o'n rhyw fath o byrfyrt, neu'n un o'r *stalkers* yma sy'n cael eu henwi yn y papurau newydd.

'Es i ddim ar gyfyl ei thŷ hi, Siân,' meddai. 'Onest. Wel… do, ond dim ond dros y ffordd, wrth y *bus shelter*…'

'Hy!' clywodd Marc Morris – ia, ei ffrind gorau – yn ebychu wrth ei ochr.

'… ac mi dda'th y boi Bennett hwnnw oddi ar y bws a dechra haslo fi am ddim byd.'

'Am ddim byd?' meddai Siân. 'Pam fasa fo'n gneud hynny?'

'Dwi'm yn gwbod, nac 'dw! Yli…'

'Ti'n siŵr na welodd o mo'nat ti'n sleifio o gwmpas tŷ Lois?'

'Lyrcio ydy'r gair, 'swn i'n deud,' cyfrannodd Marc. 'Lyrcio yn y twllwch, fath â rhyw hen byrf.'

'Be? Yndw! Onest, Siân.' Er ei fod o'n dweud y gwir, yr holl wir a dim byd ond y gwir, gwyddai Ifan fod ei wyneb yn fflamgoch ac felly'n gwneud iddo edrych yn euog ofnadwy. 'Ond mi welis i rywun yno, dwi'n meddwl.'

'Pwy?'

'Dwn i'm. Rhyw foi... dwi'n meddwl.'

'Dw't ti ddim yn swnio'n siŵr iawn,' meddai Siân.

'Dyna'n union be ro'n i am ddeud,' meddai Marc.

'Cau hi, Marc,' meddai Siân.

Tro Marc oedd hi i gochi rŵan, a theimlodd Ifan ryw oleuni cynnes, braf yn cynnau'r tu mewn iddo. Deuai ei eiriau'n haws o lawer yn awr, am ryw reswm.

'Ia, wel, dyna'r peth,' meddai. 'Dwi ddim *yn* siŵr. Mond cip ges i – fel Lois. Mond am eiliad. Pan sbiais i'n iawn, doedd dim golwg o neb. Ond mi faswn i wedi taeru fod *rhywun* yno. Rhyw foi... yn gwisgo hwdi, dwi'n meddwl.'

'Hwdi...' meddai Siân.

'Dwi'n *meddwl,*' meddai Ifan. 'Ocê, dwi'n gwbod 'i fod o'n swnio'n llipa, ond... wel, rhyw argraff ges i fod rhywun yno a dim ond wedyn, wrth feddwl am y peth, y ces i'r syniad yn fy mhen 'i fod o'n gwisgo hwdi.'

Doedd o ddim am ddweud wrthi am y teimlad annifyr a gafodd o ar ei ffordd adre fod rhywun yn ei ddilyn, na chwaith am y breuddwydion cas a gafodd o'r noson honno. Nid ag EmAndEm yno'n glustiau i gyd.

Efallai, os byddai'n ddigon lwcus i gael bod yn rhywle efo Siân Parri, a neb arall yno ond y nhw ill dau, y mentrai sôn wrthi am y breuddwydion cas. Ond roedd yn bwysig nad oedd Siân yn ei amau o fod yn llechu yn y tywyllwch y tu allan i ffenest cegin Lois Evans.

'Ti'n 'y nghoelio i?' gofynnodd iddi.

Syllodd Siân arno am ychydig, cyn nodio. 'Yndw. Mi ddeuda i wrth Lois.'

Gwenodd Ifan mewn rhyddhad. Yna meddyliodd am rywbeth.

'Gwranda,' meddai. 'Oedd y boi welodd Lois yn gwisgo hwdi?'

'Dwi'm yn gwbod,' atebodd Siân. 'Ddeudodd hi ddim. Pam?'

'Wel, sgen i ddim un o'r rheiny. Ma'r hen un oedd gen i wedi mynd yn rhy fach i mi.'

Roedd yna adeg, flynyddoedd yn ôl, pan oedd Jac Bennett wedi mopio'i ben yn lân efo Laura Tomos.

Flynyddoedd MAITH yn ôl erbyn hyn, meddyliai Jac gan ochneidio. Pan oedd o tua'r un oed â'r iob bach powld hwnnw oedd yn loetran o gwmpas y lloches fysus y diwrnod o'r blaen.

Laura Tomos, a hoffai wisgo siaced â choler felfed, jîns tyn a'u gwaelodion wedi'u rhowlio hanner ffordd i fyny at ei phengliniau, a'i gwallt melyn mewn cynffon ferlen. Laura Tomos, a hoffai jeifio efo Jac yn y British Legion ar nosweithiau Sadwrn, ond a aeth allan yn y diwedd efo Terry Jenkins, mêt gorau Jac.

Pam?

Am fod Terry'n gallu canu, meddyliodd Jac yn chwerw. Un noson, safodd Terry dan ffenest stafell wely Laura a chanu cân a oedd ar frig y siartiau pop ar y pryd. 'Tell Laura I love her,' brefodd, ar ei liniau yn yr ardd gefn. 'Tell Laura I need her. Tell Laura not to cry, my love for her will never die…'

Cafodd sawl 'Cau dy geg, y diawl swnllyd!' a 'Dos adra i dy wely, wir Dduw!' gan gymdogion, ond roedd Laura Tomos wedi gwirioni – cymaint felly nes na fu'n hir iawn cyn iddi droi'n Laura Jenkins.

Doedd Jac Bennett – tedi boi cynta'r pentref ac yna'r rocyr cynta – ddim yn gallu canu nodyn. Ond hyd yn oed tasa gen i lais fel Elvis, meddyliodd am flynyddoedd wedyn, faswn i ddim, dros fy nghrogi, wedi sefyll yno'n canu cân mor uffernol o naff. Ricky Valance – pwy gythral oedd hwnnw, beth bynnag? Rhyw foi o Sir Fynwy – doedd o ddim hyd yn oed yn Americanwr, ac yn sicr doedd o ddim yn yr un cae ag Elvis, Gene Vincent ac Eddie Cochran.

Doedd o ddim yn roc-a-rôl, nac oedd?

Anodd dweud pa un oedd wedi brifo Jac Bennett fwya – y ffaith fod Terry Jenkins wedi bachu'r fodan y bu Jac yn breuddwydio amdani ers blynyddoedd, neu'r ffaith ei fod o wedi gwneud hynny drwy ganu cân bop mor gyfoglyd. Roedd wedi cael siom yn Laura, wrth gwrs: buasai unrhyw hogan gwerth ei halen wedi dweud wrth Terry lle i fynd os na fedrai ei serenadu efo 'Heartbreak Hotel', 'Be-Bop-A-Lula' neu 'Three Steps to Heaven'.

Ond efallai fod bai ar Jac ei hun, cyfaddefodd wrth wylio Terry a Laura'n setlo efo'i gilydd fel Mr a Mrs Jenkins; bu'n rhy swil i ddweud wrth neb am ei deimladau tuag at Laura, hyd yn oed pan ddechreuodd Terry sniffian o'i chwmpas.

Yn fuan wedyn, tro Jac oedd hi i briodi. Cafodd flynyddoedd lawer o hapusrwydd efo Brenda ond weithiau, pan glywai un o'r hen ganeuon ar y radio, meddyliai tybed be fuasai wedi digwydd petai o wedi bod yn ddigon dewr i sôn am ei deimladau wrth yr eneth ifanc honno mewn jîns tyn a'i gwallt mewn cynffon ferlen felen.

Roedd dros hanner can mlynedd bellach ers dyddiau'r jeifio yn y British Legion.

Dim ond Jac a Laura Jenkins oedd ar ôl o'r hen griw bellach – a rhaid dweud, gyda pheth tristwch, nad oedd nemor ddim o Laura Tomos ar ôl erbyn hyn. Roedd y ferch siapus efo'r gynffon ferlen melyn-fel-ŷd wedi mynd efo'r blynyddoedd, ac yn ei lle roedd dynes nobl, llond ei chroen, â helmed hyll o wallt cwta wedi'i liwio'n oren llachar.

Eisteddai Laura nawr wrth fwrdd cegin Jac Bennett, yn yfed te o un o'i fygiau Elvis ac yn sglaffio'i fisgedi. Jaffa Cakes, hefyd – hoff fisgedi Jac. Roedd Laura wedi cael cip arnyn nhw yn y cwpwrdd yn gynharach wrth i Jac chwilio am weddillion paced o Digestives a oedd wedi hen ganu'n iach i'w dyddiad gwerthu.

'Dw't ti ddim yn trio'n galad iawn, w't ti, Jac?' meddai Laura.

Gwyliodd Jac ei llaw dde'n anelu am geg y paced fel pig hwyaden farus yn diflannu dan ddŵr llyn, cyn ailymddangos efo bisgeden arall eto fyth rhwng ei bysedd.

Pwy *ydy* hon? meddyliodd Jac. Syllodd arni a'i ben ar un ochr.

'Jac?'

Ymysgydwodd Jac. Laura, meddyliodd – debyg iawn, *Laura* ydy hi.

'Sori, be ddeudist ti?' meddai.

'Lle est ti rŵan? Deud ro'n i – dw't ti ddim yn trio'n galad iawn.'

'Trio be?'

Ochneidiodd Laura. 'Efo'r bobol drws nesa! Maen nhw yno ers dros fis bellach, a dw't ti ddim yn gwbod y peth cynta amdanyn nhw.'

'Maen nhw'n ddigon tawal,' meddai Jac, 'a dyna'r peth pwysica.'

'Wel, ia, ma'n siŵr. Ond wedyn...'

'Dwi ond yn falch bod rhywun yn byw yno o'r

diwadd,' meddai Jac. 'Ma'n braf gallu clywad ambell sŵn yn dŵad trw'r parad o bryd i'w gilydd.'

Synau dwi'n gallu eu hegluro, meddyliodd. Synau normal – synau sydd i fod yno.

Doedd o ddim wedi sôn wrth neb am y synau eraill yr arferai eu clywed yn dod trwy'r pared. Byddai pobol yn meddwl ei fod o'n dechrau drysu, fod Jac Bennett yn clywed pethau.

Ond roedd o *yn* clywed pethau pan oedd drws nesa'n wag, dyna'r broblem.

Synau nad oedd i fod yno o gwbwl, nid mewn tŷ gwag.

Crynodd Jac Bennett yn sydyn a rhwbio'i freichiau'n ffyrnig.

'Paid â deud dy fod ti'n teimlo'n oer,' meddai Laura. 'Ma'r tŷ 'ma fel ffwrnais gen ti. Dwi'n chwysu chwartia yn y gegin 'ma.'

Oedd hi cyn boethed â hynny? I Jac, teimlai'r lle'n annaturiol o oer – gydag ambell fan yn oerach na'r gweddill.

Fel yn y cyntedd, ger y drws ffrynt, er enghraifft. Ac ambell gyda'r nos, pan ddylai'r tŷ fod yn glyd, câi'r argraff fod oerni rhyfedd yn llifo i mewn drwy'r pared.

Fel petai'r muriau'n chwysu rhew.

Ond does wiw i mi sôn am hyn wrth Laura, meddyliodd: mi fasa hi'n meddwl 'mod i'n colli arnaf go iawn.

Heb sylweddoli, roedd o wedi bod yn syllu ar Laura wrth feddwl, a dechreuodd Laura deimlo'n reit annifyr.

'Jac? Be sy?'

Gwgodd Jac. Pwy *oedd* y ddynes ddieithr yma? Oedd hi wedi martsio i mewn i'w gartref a'i helpu'i hun i'w de ac i'w hoff fisgedi?

'Jac!' meddai Laura'n siarp, a rhoes Jac naid fechan.

'O… *Laura*!' gwenodd Jac. 'Diolch byth…'

'Be?'

'Sud w't ti'r dyddia yma, Laura?' Dechreuodd ganu'n dawel. 'Tell Laura not to cry, my love for her will never die…'

'Jac! Ti'n iawn?' gofynnodd Laura, wedi'i dychryn rŵan.

Ymysgydwodd Jac eto, fel petai wedi deffro'n sydyn wrth bendwmpian o flaen y tân nwy.

'Iawn? Pwy – fi? Yndw, debyg iawn.' Cododd Jac oddi wrth y bwrdd, ychydig yn simsan. Pwyntiodd at fŷg Laura. 'Panad arall?'

'Y…' Doedd arni ddim llawer o eisiau un ond doedd Laura ddim yn teimlo y gallai adael Jac ar ei ben ei hun ar hyn o bryd. 'Ia, pam lai?' meddai.

Gwyliodd ef yn ofalus wrth iddo gymryd ei mŷg a llenwi'r tegell. Hmmm, meddyliodd, mae o i'w weld yn ddigon o gwmpas ei bethau. Ond roedd y ffordd roedd o wedi edrych arni'n gynharach…!

Safai Jac yn syllu allan drwy ffenest y gegin tra arhosai i'r tegell ferwi. Glaw mân eto, ond prin y sylwodd Jac arno. Gwasgai ochr y sinc yn dynn gan obeithio y byddai hynny'n gwneud i'w ddwylo beidio â chrynu.

Roedd hyn yn digwydd yn fwy a mwy aml y dyddiau yma, meddyliodd, yr hen anghofio gwirion yma. Ac roedd o'n digwydd bob tro gyda phobol roedd o wedi'u hadnabod ar hyd ei oes.

Pobol fel Laura.

Teimlai'n flin, hefyd, am ddim rheswm – yn afresymol o flin. Un funud roedd o'n hapus braf a'r funud nesa yn flin fel cacwn ac yn barod i daro pwy bynnag oedd yno efo fo ar y pryd.

'Jac?' meddai Laura o'r tu ôl iddo. 'Ma'r tegell wedi berwi.'

'Ia, reit! Dal dy ddŵr, 'nei di? Mond dwy law sgen i.'

A dyna chdi eto – wedi arthio ar Laura druan. Laura, o bawb, a fu mor ffeind efo chdi, mor dda, pan gafodd Brenda ei tharo'n wael, ac wedyn yn y dyddiau ar ôl i Brenda farw. Lle fasat ti heb garedigrwydd Laura, Jac Bennett, y?

Mae'i chalon hi yn y lle iawn, meddai wrtho'i hun wrth baratoi'r te.

Ond yna meddyliodd yn syth: Hen dro nad ydi'i thin hi yn y lle iawn hefyd – gartra yn ei chegin hi'i hun, nid yma yn fy nhŷ i yn sglaffio fy Jaffa Cakes i... go damia hi, dwi am ddeud wrthi hi hefyd!

Trodd ati hi'n sydyn... a rhythu.

Yno'n eistedd wrth y bwrdd roedd geneth ifanc, ddel. Gwisgai siaced a choler felfed iddi, a jîns tyn a'u gwaelodion wedi'u rhowlio i fyny bron iawn at ei phengliniau.

Ac roedd ei gwallt golau wedi'i glymu'n ei ôl mewn cynffon ferlen.

'Laura?' sibrydodd Jac.

'Wel, ia, siŵr Dduw, be haru ti?' meddai'r eneth.

'Lle w't ti wedi *bod*?' gofynnodd Jac. 'Argol, ond yn meddwl amdanat ti ro'n i gynna.' Cychwynnodd tuag ati heb sylweddoli fod un o'r mygiau Elvis ganddo yn ei law. 'Yli, dwi 'di bod yn meddwl... dw't ti ddim i fod efo fo, sti.'

'Efo pwy?' gofynnodd yr eneth.

'Fo, yndê – Terry. Ocê, fo ydi'n mêt gora fi, ac mae o'n hen foi iawn, dwi ddim yn deud fel arall... ond blydi hel, Laura, efo *fi* rw't ti i fod. Rw't titha'n gwbod hynny hefyd, yn dw't? Y ni'n dau sy wiriona, yn gwrthod â chyfadda'r petha 'ma...'

'Jac!'

Tewodd... a rhythodd eto. Roedd y Laura ifanc wedi mynd i rywle. Yn ei lle roedd rhyw das wair fawr o ddynes flêr ei golwg a'r lliw mwya uffernol ar ei gwallt.

Pwy ddiawl oedd hon?

Bustachodd y ddynes i'w thraed â golwg ofnus iawn ar ei hwyneb.

'Jac?' meddai'r ddynes.

'Dos o 'ma,' meddai Jac wrthi.

Meddyliodd iddo glywed pwl o chwerthin direidus yn dod o'r tu allan i'r ffenest wrth i'r ferch yn y jîns tyn a'r siaced goler-felfed wibio oddi wrtho i Dduw a ŵyr lle, gan adael *hon* yn ei lle, pwy bynnag oedd hi, y beth *hen* yma, a braw yn llenwi'i hwyneb a staeniau siocled yng nghorneli ei cheg.

'Dos o 'ma!' meddai wrthi eto.

'Be?'

Roedd llygaid y ddynes yn grwn fel soseri.

Pwy oedd hi?

'Dos o 'ma!'

Cymerodd Jac Bennett gam bygythiol tuag ati. Sgrialodd y ddynes i'w thraed gan gipio'i chôt a'i bag, wedi dychryn am ei bywyd.

'Dos o 'ma!'

Lluchiodd Jac y mỳg Elvis ati a ffrwydrodd hwnnw'n ddarnau yn erbyn y drws. Gyda gwich ofnus, aeth y ddynes o'r gegin wysg ei chefn ac eiliadau wedyn clywodd Jac sŵn y drws ffrynt yn agor a chau gyda chlep.

Trodd yn sydyn a rhythu allan i'r ardd, wedi clywed unwaith eto y chwerthin ifanc yn dod o bell, bell – fel petai wedi'i chwythu yma gan wynt cyntefig o rywle oer ac unig a thywyll iawn.

Ond doedd neb na dim i'w weld yn ei ardd gefn, dim ond y glaw yn byrlymu drosti'n drymach nag erioed.

5

'Ro'n i'n meddwl cychwyn arnyn nhw ben bora fory, fel mae'n digwydd,' meddai Buddug ar y nos Wener.

'Oeddach, dwi'n siŵr.'

'O'n, Lois. Mi o'n i.'

'Mi gawn ni weld...' meddai Lois yn ddigon sarrug.

Gwylltiodd Buddug. 'Cei! Mi gei di weld!'

Ffraeo roedden nhw ynghylch y drydedd stafell wely, yr un leia – neu, yn hytrach, ynghylch y bocsys llawn a lenwai'r stafell: roedden nhw yno'n disgwyl am gael eu gwagio ers y diwrnod i Lois a Buddug symud yno i fyw.

Yn anffodus i Lois, roedd y bocsys a ddaliai'r rhan fwya o'i phethau hi yn y cefn, a mynydd o rai ei mam wedi'u sodro o'u blaenau nhw.

Ac roedd Lois bellach wedi cael llond bol. O – nid yn unig ar y bocsys: dim ond rhan o'r holl beth oedd y bocsys. Y gwir amdani oedd ei bod wedi cael llond bol ar ei mam – er na fyddai Lois byth yn dweud hynny, hyd yn oed wrthi'i hun yn ddistaw bach.

Doedd dim cymaint â hynny ers pan oedd Buddug yn gyrru o gwmpas y lle mewn BMW ac yn gwisgo siwtiau busnes smart; yn aelod o gampfa go swanc (a drud) ac yn cael ei gwahodd yn aml i siarad mewn cynadleddau busnes ar gyfer merched. Yn ôl sawl si a glywodd un flwyddyn, daeth o fewn trwch blewyn i ennill gwobr Cymraes y Flwyddyn.

Hen Steil oedd enw ei busnes, yn arbenigo mewn dillad i ferched – dillad ag adlais pendant o'r pumdegau a'r chwedegau cynnar. Bu'r busnes yn un llwyddiannus iawn ar y cychwyn gan ei fod yn digwydd cyd-fynd â dwy gyfres boblogaidd ar y teledu.

Ond mynd yn is ac yn is wnaeth ffigyrau gwylio'r cyfresi – a mynd yn is ac yn is hefyd wnaeth nifer cwsmeriaid Hen Steil. Y drafferth oedd mai'r banc oedd biau bron popeth – gan gynnwys y tŷ mawr hwnnw â'r holl stafelloedd gwely. Pan aeth Hen Steil i'r gwellt, neidiodd y banc fel blaidd rheibus a chollodd Buddug y cyfan dros nos, bron. Diflannodd y tŷ, y BMW, yr aelodaeth yn y gampfa a'r gwahoddiadau i siarad mewn cynadleddau.

A'r freuddwyd o gael ei henwi'n Gymraes y Flwyddyn.

Mynd hefyd wnaeth Jonathan, tad Lois. Roedd o rwân yn byw yng nghyffiniau Wrecsam efo merch a oedd yn nes at oed Lois nag at ei oed o a Buddug.

Er nad oedd Buddug wedi dweud hyn yn blwmp ac yn blaen, gwyddai Lois fod colli Jonathan wedi effeithio arni'n waeth o lawer na cholli'i busnes, hyd yn oed. Os oedd colli'r busnes yn ergyd, yna roedd colli'i gŵr wedi ei llorio.

Ochri efo'i mam a wnaeth Lois; yn wir, hyd yn oed rwân, fisoedd yn ddiweddarach, doedd hi ddim yn gallu meddwl am ei thad heb ysu am gael ymosod arno efo bwyell neu lif gadwyn.

'Llechan lân, Lois,' meddai Buddug wrthi pan

symudon nhw yma, yn ddigon pell o atogfion poenus yn ardal Llandudno (ac yn sicr yn ddigon pell o ardal Wrecsam). 'Rhywle dros dro, cyfle i mi gael fy ngwynt ataf – a chael fy nhraed danaf unwaith eto.'

Efallai y dylwn i fod yn fwy amyneddgar, meddyliodd Lois; wedi'r cwbwl, mae Mam wedi bod drwy'r felin, chwarae teg. Ond ni allai wadu ei bod hi bellach wedi cael llond bol ar ddisgwyl i wynt Buddug ddychwelyd – a sut goblyn mae hi'n gobeithio cael ei thraed dani a hithau'n treulio bob diwrnod un ai ar ei chefn neu ar ei thin?

A hynny gan amlaf efo potel o win dan ei chesail.

Yng nghefn ei meddwl, roedd Lois yn deall pam roedd Buddug mor gyndyn o ddadbacio'r bocsys rheiny yn y stafell gefn. Byddai gwneud hynny'n tanlinellu'r ffaith mai yma roedden nhw, hi a Lois, ac mai'r tŷ bychan, clawstroffobig hwn oedd 'adra' i'r ddwy bellach.

Ond ar yr un pryd, teimlai Lois na fyddai Buddug byth yn cael ei gwynt ati na chael ei thraed dani unwaith eto nes fod popeth wedi'i wagio a'r stafell fechan wedi'i chlirio.

Os oedd y bocsys yn symbol o'i methiant i Buddug, yna i Lois roedden nhw'n symbol o bopeth oedd yn rhwystro'i mam rhag ailgydio yn ei bywyd.

Drannoeth, fore Sadwrn, deffrodd Buddug ben bore – am ugain munud wedi chwech. Deuai goleuni llwyd, llipa i mewn drwy'r llenni, a gorweddodd Buddug yno'n gwrando ar dawelwch y tŷ.

'Ma heddiw,' meddai wrthi'i hun, 'am fod yn wahanol.'

Ydy, ydy, meddai rhyw hen lais bach coeglyd yn ei phen. Wel, yn doedd Buddug wedi dweud hyn bron bob bore ers misoedd?

'Cau dy geg,' meddai Buddug wrtho.

Doedd hi ddim am wrando ar y llais bach hwnnw. Roedd hi wedi gwrando llawer gormod arno fo'n barod, a doedd hi ddim am adael i wythnos arall lithro heibio iddi, bron heb iddi sylweddoli hynny.

Roedd y ffrae a gafodd hi neithiwr efo Lois wedi'i hysgwyd, ac o'i herwydd, roedd Buddug yn benderfynol o godi'n gynnar. Aeth i'w gwely neithiwr heb gyffwrdd â photel win. Heddiw, doedd ei phen – am unwaith – ddim yn teimlo fel un o'r drymiau mawrion rheiny sy'n cael eu waldio gan ddynion cyhyrog o Japan.

Reit, meddyliodd – codi. Doedd arni ddim eisiau rhoi esgus arall i Lois edrych arni fel y gwnaeth hi neithiwr, yn y ffordd ddilornus honno oedd i'w gweld ar ei hwyneb yn fwy a mwy aml y dyddiau hyn.

Bron fel petai Lois yn dechrau difaru aros efo Buddug yn hytrach na mynd i fyw ato *fo*.

Roedd hi newydd godi i'w heistedd ar erchwyn y gwely pan glywodd hi sŵn traed Lois yn mynd i lawr y grisiau.

Mae madam o gwmpas y lle'n gynnar iawn, meddyliodd Buddug; wedi codi er mwyn mynd i'r tŷ bach, fwy na thebyg. Doedd yr un ohonyn nhw eto wedi arfer â'r ffaith fod y stafell ymolchi i lawr y grisiau – na chwaith wedi dygymod â byw mewn tŷ a dim ond un stafell molchi a thoiled ynddo.

Gwisgodd Buddug ei gŵn nos a'i slipars amdani a mynd allan ar y landin. Nefoedd, meddyliodd, ma'r tŷ 'ma'n oer! Roedd y gwres i fod i ddod ymlaen am chwech. Rhoes ei llaw ar y gwresogydd: roedd o'n boeth, ond doedd yn amlwg yn cael nemor ddim effaith oherwydd gallai Buddug weld ei hanadl yn cymylu wrth iddi anadlu. Gallai hefyd deimlo'r oerni'n pinsio'i hwyneb ac yn llifo drwy'i gŵn nos a'i choban gan gropian dros ei chorff, fel petai rhywun wedi lapio cynfas wlyb amdani.

Crynodd. Tybed ai dyma pam roedd Lois wedi codi mor gynnar, oherwydd ei bod yn rhy oer iddi aros yn ei gwely? Cychwynnodd Buddug am y grisiau. Deuai rhywfaint o oleuni llwyd y bore bach i mewn drwy ffenest y landin, a thrwyddi gallai Buddug weld yr ardd gefn yn dechrau dod i'r golwg drwy ragor o niwl. Be sy wedi digwydd i'r gaeafau dwi'n eu cofio o ddyddiau plentyndod? meddyliodd. Gaeafau oer, a'r rhew a'r barrug yn crensian dan draed, ond gaeafau prydferth hefyd. Gaeafau iach: llawer mwy iach na'r gwlybaniaeth diddiwedd, diflas hwn.

Hanner ffordd i lawr y grisiau, arhosodd yn stond, gydag ebychiad a naid fechan.

Roedd rhywun yn sefyll y tu allan i'r tŷ, ar garreg y drws.

Roedd paen gwydr yng nghanol y drws ffrynt, uwchben y blwch llythyron, yr un siâp â ffenest mewn eglwys neu gapel, ac roedd rhywun yn sefyll yr ochr arall gan edrych fel petai'n gwneud ei orau i graffu i mewn i'r tŷ.

Ia – *fo*, penderfynodd Buddug: bachgen, yn gwisgo un o'r topiau hwdi rheiny efo'r hwd i lawr dros ei wyneb.

Pwy ar y ddaear?

Yr adeg yma o'r dydd!

Yna dechreuodd deimlo'n nerfus. Rhywun oedd â'i fryd ar dorri i mewn i'r tŷ, meddyliodd; buasai hynny'n egluro pam na chlywodd hi neb yn curo wrth y drws a chanu'r gloch.

A phwy arall fyddai'n craffu i mewn fel hyn, mor hy?

Posibilrwydd arall oedd mai rhywun roedd Lois wedi dod i'w nabod oedd o. Ai dyna pam roedd Lois wedi codi mor gynnar – am fod hwn, pwy bynnag oedd o, efallai wedi taflu cerrig mân at ei ffenestri i'w deffro (ydy pobol yn dal i neud pethau felly, fel yn yr hen ffilmiau? meddyliodd Buddug – mae'r pethau mwya hurt yn dod i feddwl rhywun ar yr adegau gwiriona weithiau) a'i bod hithau wedi mynd i lawr y grisiau er mwyn agor iddo fo.

Os felly, ble oedd hi?

Ac roedd rhywbeth ynglŷn â'r ffordd roedd y bachgen

yn sefyll a wnâi i Buddug deimlo'n annifyr. Roedd o mor llonydd, rywsut, ac roedd yr hen hwd yn creu ogof ddu lle dylai ei wyneb o fod…

Lle goblyn oedd Lois?

'Lois…?' meddai Buddug. Ond roedd ei llais yn gryg ac yn wantan. Cliriodd ei gwddf.

'Lois, lle w't ti?'

Yna neidiodd wrth glywed sŵn drws yn agor ar y landin uwch ei phen. Drws stafell wely Lois.

'Be?' clywodd Buddug lais ei merch yn dweud. Edrychodd i fyny i weld Lois yn ymddangos yn gysglyd wrth y canllaw, yn ei phyjamas ac yn gwgu i lawr arni.

'Be 'dach chi'n neud? Be 'dach chi'i isio?'

Dywedai ei gwg yn blaen ei bod yn credu fod Buddug wedi ymweld â'r botel win unwaith eto.

Rhythodd Buddug arni. 'W't ti newydd fod i lawr y grisia?'

'Nac 'dw…'

Edrychodd Buddug yn ôl ar y drws.

Doedd neb yno. Roedd y bachgen wedi mynd.

'Mam?'

'W't ti'n siŵr?'

'*Yndw*! Ro'n i'n cysgu… be sy?'

Ysgydwodd Buddug ei phen. 'Roedd rhywun tu allan… yn sbio i mewn trw'r drws.'

'Pwy?'

'Sud w't ti'n disgwl i *mi* wbod? Rhyw… hogyn…'

Yna daeth Buddug yn agos iawn at syrthio i lawr

gweddill y grisiau... oherwydd cafodd yr argraff bendant fod rhywun wedi ymwthio heibio iddi. Baglodd yn ei hôl yn erbyn y wal a chlywed Lois uwch ei phen yn ochneidio'n ddiamynedd.

'Rydach chi'n pathetig!' meddai.

Trodd a dychwelyd i'w stafell gan gau'r drws.

O, dwi ddim am gymryd hyn! meddyliodd Buddug.

'Lois?' gwaeddodd. 'Lois!'

Dim ymateb. Gan deimlo'n flin – be gythral oedd yn *digwydd* yn y tŷ yma? – brysiodd Buddug i lawr y grisiau ac at y drws ffrynt, gan hanner disgwyl gweld siâp y bachgen yn ailymddangos yr ochr arall i'r drws.

Wel, mi geith y diawl bach wybod be ydy be! meddai wrthi'i hun. Tynnodd ei gŵn nos yn dynnach amdani, cyn dadgloi ac agor y drws yn llydan.

Doedd neb yno.

Camodd Buddug allan ar y llwybr, gan edrych i fyny ac i lawr y stryd.

Neb.

Aeth at y giât ac edrych i bob cyfeiriad. Efallai fod y gwalch wedi'i baglu hi dros y cae chwarae a thrwy'r parc: yn sicr doedd yna ddim golwg ohono.

Wrth droi, crwydrodd ei llygaid dros dalcen y tŷ drws nesa a sylweddolodd fod yr hen begor hwnnw – be ddeudodd o oedd ei enw? Ni fedrai gofio ar hyn o bryd – yn sefyll yn ffenest y stafell wely, yn ei gwylio. Tybed oedd o yno funud neu ddau yn ôl? Os oedd o, roedd o'n sicr o fod wedi gweld yr hogyn hwnnw.

Mi alwa i yno yn nes ymlaen, penderfynodd Buddug,

gan deimlo'n ymwybodol iawn mai dim ond gŵn nos a choban oedd ganddi amdani. Cychwynnodd am y tŷ, cyn meddwl: Damia, ella bod yr hogyn wedi sleifio i'r ardd gefn!

Ddylwn i ddim gwneud hyn, meddyliodd wrth gerdded heibio i ochr y tŷ. Be tasa'r hogyn allan o'i ben ar ryw gyffur neu'i gilydd? Be tasa fo i fod ar ryw fath o feddyginiaeth, ond ddim wedi cymryd ei dabledi ers dyddiau?

Be tasa gynno fo gyllell – neu wn, hyd yn oed?

Wedi'r cwbwl, roedd rhywun byth a beunydd yn darllen am y pethau yma, neu'n clywed amdanyn nhw ar y newyddion.

Brathodd ei phen yn nerfus heibio i gornel gefn y tŷ, gan feddwl efallai fod yr hogyn yn ceisio torri i mewn trwy ddrws neu ffenest y gegin.

Ond doedd neb yno chwaith. Ochneidiodd Buddug â rhyddhad, cyn cofio'i bod hi wedi gadael y drws ffrynt yn agored led y pen. Brysiodd yn ei hôl ac i mewn i'r tŷ, gan gau a chloi'r drws.

Wrth iddi baratoi paned iddi'i hun, sylweddolodd fod y tŷ yn awr yn gynnes, braf.

6

Erbyn i Lois godi, roedd Buddug wedi cael cawod ac wedi gwisgo amdani. Roedd y gegin yn llawn arogl coffi ffres, ac fel arfer byddai hyn ynddo'i hun yn ddigon i ddod â gwên i wyneb Lois.

Ond nid heddiw. Eisteddodd wrth y bwrdd â golwg bwdlyd iawn.

'Haia, ti'n iawn?' cyfarchodd Buddug hi.

'Yndw.'

Arllwysodd Buddug lond mỳg o goffi iddi. 'Ma 'na rywbath arbennig am ogla coffi ffres yn y bora, dw't ti'm yn meddwl? Bron cystal ag ogla bacwn yn ffrio.'

Cododd Lois ei hysgwyddau.

'A sôn am hynny...' Aeth Buddug allan i'r cyntedd a dod yn ôl gan dynnu'i chôt amdani. 'Mae 'na sleisan ne ddwy o fara ar ôl – digon i chdi neud tôst i chdi dy hun os wyt ti ar lwgu. Dwi am biciad i Spar. Ro'n i'n meddwl ella basa'r ddwy ohonan ni'n ca'l brecwast go iawn am newid bach. Be ti'n ddeud?'

'Dwi'm isio dim byd.'

Ochneidiodd Buddug. 'O'r gora, Lois – be sy?'

'O, oes raid i chi ofyn?' meddai Lois yn siarp.

'Oes!'

Yn hytrach na'i hateb, cododd Lois a chroesi at y gornel lle roedd y biniau ailgylchu. Deallodd Buddug, ond gwnaeth Lois sioe fawr o edrych i mewn i'r bin poteli.

‘Hapus rŵan?’ meddai Buddug. ‘Yfais i’r un dropyn neithiwr.’

‘O, naddo!’ meddai Lois yn goeglyd.

‘Naddo, Lois.’

‘Mi welis i chi bora ’ma, ar y grisia! Prin roeddach chi’n gallu sefyll.’

‘Be? Yli, nid dyna pam…’

Tewodd Buddug. Doedd hi ddim am ddweud am y teimlad a gafodd ar y grisiau fod yna rywun wedi ymwthio heibio iddi: fyddai hynny ond yn cadarnhau’r hyn roedd Lois yn amlwg yn ei amau’n barod – sef bod Buddug wedi ymosod ar botel arall o win ar ôl i Lois fynd i’w gwely, ac yn dal yn feddw pan gododd hi ben bore.

‘Pam, ta?’ meddai Lois.

‘Lois, newydd godi o’n i. A doedd hi ddim cweit yn ola dydd. Ma pawb yn simsan ar eu traed yr adeg yna o’r bora.’

‘Rhai ohonan ni’n fwy na’r lleill,’ meddai Lois, ac aeth yr olwg ddirmygus ar ei hwyneb drwy Buddug fel cyllell oer. ‘Be oeddach chi’n neud o gwmpas y lle mor gynnar, beth bynnag? Chwilio am fwy o win? Neu am dabledi ar gyfar hangofyr arall?’

‘Ro’n i wedi deffro’n gynnar – heb hangofyr, mond i chdi ga’l dallt. Mi faswn i wedi mynd yn ôl i gysgu, ond i mi feddwl ’mod i wedi dy glywad di’n mynd i lawr y grisia.’

Sbiodd Lois arni’n gam; roedd yn amlwg nad oedd hi’n ei chredu.

'Mi godais i fynd i'r tŷ bach ac i neud panad i mi fy hun. Ond... wel, ti'n gwbod be ddigwyddodd wedyn.'

'Be?'

'Y... person 'na, yn sefyll yn y drws. Rhyw hogyn yn trio gweld i mewn i'r tŷ. Mi ddeudis i hynny wrthot ti ar y pryd, Lois, os dwi'n cofio'n iawn.'

''Dach chi'n siŵr nad eliffant pinc welsoch chi?' meddai Lois yn sbeitlyd.

Rhythodd Buddug arni. 'Argol fawr, dyna be rw't ti'n 'i feddwl ohona i, Lois?'

Methodd Lois ag edrych arni.

'Ma gen ti gywilydd ohona i, yn does?' meddai Buddug. 'Fedri di ddim hyd yn oed sbio arna i.'

'Nac oes!' gwadodd Lois.

'Oes, tad. Dw't ti byth yn dŵad â neb yma, dwi eto i gyfarfod un o dy ffrindia newydd di.'

Pa ffrindiau? meddyliodd Lois.

'Wel – alla i ddim deud â'm llaw ar fy nghalon 'mod i'n gweld llawar o fai arnat ti,' meddai Buddug. 'Pathetig – dyna be wnest ti fy ngalw i'n gynharach, yndê? Pathetig...'

Syllodd Lois i mewn i'w mỳg coffi.

'Dwi'n gwbod 'mod i'n pathetig, Lois,' meddai Buddug yn dawel. 'Dwi wedi bod yn pathetig iawn dros y misoedd dwytha. Ma'r ddynas dwi'n ei gweld yn y drych bob diwrnod yn deud hynny wrtha i'n ddigon plaen.'

Gallai Lois deimlo'i hun yn cochi. Roedd y geiriau cas a ddywedodd yn gynharach wrth ei mam wedi llithro o'i cheg cyn iddi fedru eu rhwystro. Dyna pam ei bod hi wedi mynd yn ôl i mewn i'w stafell mor sydyn – oherwydd ei bod wedi eu difaru'n syth bìn.

'Yli, Lois, os nad w't ti'n fodlon yma efo fi, yna ma croeso i ti ffonio dy dad a... wel, os dwi'n codi cymaint o gywilydd arnat ti â hynny, yndê...'

Roedd y cryndod bychan yn llais Buddug yn fyddarol. Wedi iddi orffen siarad, llanwyd y gegin â thawelwch trwm. Yn rhedeg drwy feddwl Lois fel ffilm ddiflas oedd yr atgof ohoni'i hun yn estyn y ddwy botel win o'r bin nos Sul, ac yna'n eu gosod o gwmpas ei mam a thynnu'i llun cyn anfon y llun at ei thad.

'Nac ydach...' meddai'n ddistaw.

Mentrodd edrych i fyny. Mam, dwi'n sori, ond dwi wedi gneud rhywbath ofnadwy – roedd y geiriau hyn ar flaen ei thafod, roedd hi *yn* bwriadu cyfadde i Buddug am y llun, ond methai'n lân â'u dweud. Oherwydd rhyw deimlad, efallai, ei bod hi wedi brifo hen ddigon ar ei mam am un bore.

'Nac ydach,' meddai eto, yn uwch ac â mwy o sicrwydd y tro hwn.

Syllodd y ddwy ar ei gilydd, yna nodiodd Buddug a chodi ei bag oddi ar y gadair.

'Fydda i ddim yn hir. Wedyn, dwi am fynd i'r afael â'r bocsys rheiny.' Petrusodd Buddug, yna meddai, 'Dwi'n gwbod 'mod i wedi deud hyn o'r blaen – fwy nag unwaith – ond ma petha *am* newid, Lois. Iawn?'

Edrychodd Lois i ffwrdd. Teimlai'n llawn euogrwydd oherwydd busnes y llun, ac roedd cael ei mam yn siarad â hi fel hyn yn gwneud iddi deimlo'n waeth fyth.

'Iawn…' meddai. Yna sylwodd ar y glaw a fyrlymai yn erbyn y ffenest. 'Ewch chi ddim allan yn hwn?'

'Pam lai? Mae yna ffasiwn beth ag ymbarél, sti.'

Aeth y ddwy at y drws ffrynt. Cofiodd Buddug fel y bu iddi gael cip ar Jac Bennett drws nesa yn ei gwylio drwy ffenest ei lofft yn gynharach heddiw.

'Dw't ti ddim yn digwydd cofio be ydy enw'r dyn drws nesa?'

Dyma'r ail dro yr wythnos yma i rywun ofyn hyn i mi, meddyliodd Lois wrth gofio am Ifan yn gwneud yr un peth.

'Jac rhywbath, ia? Pam?'

Edrychodd Buddug arni fel petai arni rywfaint o ofn beth fyddai ei hymateb. 'Bora 'ma. Dwi *ddim* wedi dechra gweld petha, reit? Mi *oedd* rhywun yn sefyll y tu allan i'r drws, Lois – mi es i allan i'r ffrynt i chwilio, a rownd y cefn, ond roedd pwy bynnag oedd yno wedi cymryd y goes. A dwi'n siŵr fod y dyn drws nesa wedi'i weld o, roedd o'n sbio allan arna i'n rhuthro at y giât a sbio i bob cyfeiriad fel dynas o'i cho.' Agorodd Buddug ei hymbarél a chamu allan i'r glaw. 'Mi alwa i yno ar fy ffordd yn ôl. Ella y byddi di'n fy nghoelio i wedyn.'

Pe na bai'r niwl wedi troi'n law, go brin y buasai Siân wedi newid ei meddwl ynglŷn â chwrdd â'r genod eraill yn y dre. Ond cychwynnodd y glaw mân funudau ar ôl iddi gychwyn o'r tŷ ac erbyn iddi gyrraedd y lloches fysus roedd yn tresio go iawn ac roedd ei gwallt a gwaelodion ei jîns yn wlyb socian.

Drowned rat, meddyliodd. Bws di-Siân a adawodd am y dre, felly. Arhosodd Siân yn cysgodi mewn cornel o'r lloches yn anfon negeseuon tecst at ei ffrindiau ac yn rhegi'r tywydd ar yr un pryd – yn enwedig y ffŵl ar y teledu neithiwr a ddywedodd fod heddiw am fod yn niwlog i gychwyn ac yna'n heulog.

Y lloches yma oedd yr un gyferbyn â Heol y Parc, ac edrychodd Siân i fyny o'i ffôn mewn pryd i weld Lois Evans yn sefyll yn nrws ei thŷ yn gwylio dynes mewn jîns a chôt law laes, ddrud yr olwg, yn brysio i lawr y llwybr dan ymbarél. Ei mam, mae'n siŵr, meddyliodd Siân: roedd yr un gwallt tywyll, syth gan y ddwy. Daeth y fam allan drwy'r giât a brysio i fyny'r stryd i gyfeiriad y siopau. Safodd Lois yn y drws yn ei gwylio'n mynd a sylwodd Siân arni'n cnoi ei gwefus isaf yn bryderus, bron fel petai hi'n disgwyl gweld rhywbeth cas yn digwydd i'w mam. Penderfynodd Siân yn sydyn a chychwyn ar draws y ffordd. 'Lois!' galwodd.

Roedd Lois ar fin cau'r drws. Edrychodd i fyny i weld merch a edrychai fel petai hi newydd gael ei byrlymu dros Niagara Falls yn croesi'r ffordd tuag ati.

'Siân?'

Roedd yn rhaid iddi ei gwahodd i mewn, yn doedd, er iddi ddod yn agos iawn at ddweud "Haia" a chau'r drws ar Siân. Ond doedd ganddi ddim dewis, a'r greadures yn wlyb at ei chroen ac yn edrych mor druenus yno yn y glaw. Aeth â hi'n syth i'w stafell wely ac estyn tywel cynnes iddi yn ogystal â phâr o jîns o'i drôr. Teimlai ar bigau'r drain; roedd cyhuddiad ei mam yn adleisio yn ei phen.

Mae gen ti gywilydd ohona i, yn does?

Ceisiodd wthio'r geiriau o'i meddwl drwy fynd o gwmpas ei stafell yn tacluso fel coblyn.

'Sori am y llanast,' meddai.

Roedd Siân yn eistedd ar erchwyn y gwely yn rhwbio'i phen â'r tywel ac yn gwylio Lois gyda gwên fechan.

'Llanast?' Edrychodd o'i chwmpas. 'Tasa ti'n gweld fy stafall i!'

Gwenodd Lois yn ansicr. Roedd llygaid Siân yn crwydro dros y stafell.

'Ma'r rhan fwya o'n stwff i mewn bocsys,' brysiodd Lois i egluro, yn fwy ymwybodol nag erioed fod ei stafell yn edrych braidd yn foel. 'Roedd Mam a finna'n bwriadu cael *blitz* efo nhw heddiw, fel ma'n digwydd.'

'Ydy hynny'n cynnwys dy sychwr gwallt di?' holodd Siân.

'Be? O! Sori.'

Estynnodd Lois y sychwr o un o'i droriau. 'W't ti isio *straighteners*? *Tongs?* Yli – mi wna i ada'l y drôr yma ar agor i ti, iawn? A' i i lawr i neud panad. Coffi?'

'Grêt. Gwyn, plis, dim siwgwr. O... a Lois?'

Roedd Lois wedi cychwyn am y drws bron fel petai hi'n ceisio dianc. Trodd. 'Ia?'

'Sori am... ysti... hyn i gyd.'

Fflach sydyn o wên.

'Dim probs.'

Ychydig iawn o wenu dwi wedi'i gweld hi'n ei wneud, erbyn meddwl, sylweddolodd Siân. A be ar y ddaear sy'n bod arni? Roedd hi fel gafr ar d'rana, fel petai hi'n ysu am gael mynd o'r stafell. Ac yn ymddiheuro am y llanast, a hithau heb ddigon o bethau i greu llanast yn y lle cynta. Crwydrodd ei llygaid dros gyfrifiadur Lois, ei chwaraeydd CDs, ei theledu a chwaraeydd DVD, y *docking station* ar gyfer ei iPod... Roedden nhw i gyd yn rhai drud. Ac roedd Siân eisoes wedi sylwi ar safon y dillad y cafodd gip sydyn arnyn nhw'n hongian y tu mewn i'r cwpwrdd wrth i Lois dwtio'r stafell.

Ond y poster! meddyliodd. Gwyddai fod y darlun yn un enwog – ond gallai feddwl am rai llawer mwy pleserus na'r un *creepy* hwn i'w cael ar wal stafell wely, yn enwedig yn union gyferbyn â'r gwely fel hyn.

Roedd o'n gwneud i'w phosteri *Twilight* hi edrych yn ddiniwed iawn, ac yn blentynnaidd. Ddylwn i gael gwared arnyn nhw, meddyliodd Siân, maen nhw ar y wal gen i ers blynyddoedd, a dwi wedi hen laru ar y llyfrau a'r ffilmiau. Ac os ydy hwn sy gan Lois yn ddigon â rhoi breuddwydion cas i rywun, o leia mae o'n fwy aeddfed...

... ac wrth iddi syllu ar y poster, cafodd gip drwy

gornel ei llygad ar rywun yn brysio ar hyd y landin, heibio i ddrws agored y stafell…

I lawr yn y gegin, roedd y gair 'cywilydd' yn aflonyddu ar Lois fel y ddannodd. Paratôdd y peiriant coffi a gadael iddo fytheirio'n wlyb wrth iddi estyn mygiau a llefrith. O'r llofft deuai sŵn y sychwr gwallt yn newid tôn ei rygnu wrth i Siân ddygymod efo fo.

Roedd presenoldeb Siân yn y tŷ wedi gwneud Lois yn nerfus iawn a gwyddai fod Siân wedi sylwi ar hynny; byddai'n rhaid i'r hogan fod yn ddall i *beidio* â sylwi arno, meddyliodd.

Cywilydd, sibrydodd llais ei mam yn ei chlust unwaith eto.

Wn i, meddyliodd Lois, a chywilydd snobyddlyd ar hynny. Arferai fwynhau gwahodd ei ffrindiau i'w hen gartre, gan wenu wrthi'i hun wrth eu tywys o gwmpas y tŷ a gwrando ar eu hebychiadau.

Ond yma?

Wel, ia, Lois, pam lai? fe'i dwrdiodd ei hun. Gwranda – dydy Siân ddim wedi gweld dy hen gartre, nac ydy? Felly dydy hi ddim am fynd adre a dweud rhywbeth fel, 'Mae Lêdi Myc wedi dŵad i lawr yn y byd', nac ydy?

Anghofia am y tŷ, Lois, meddai'r llais yn ei chlust. Beth am y cywilydd sy gen ti o dy fam?

Ei mam, a fyddai adre unrhyw funud… ac wrth

feddwl hyn, teimlodd Lois yr hunangasineb yn chwyddo'r tu mewn iddi fel chŵd. Roedd Buddug yn iawn heddiw, siŵr; doedd hi ddim wedi yfed neithiwr, meddai hi, ac roedd hi wedi codi'n gynnar a chael cawod a gwisgo amdani.

Roedd hi'n iawn, yn tshampion.

A sylweddolodd Lois mai da o beth efallai oedd y ffaith fod Siân yma wedi'r cwbwl; onid oedd Buddug yn gynharach wedi cyhuddo Lois o beidio gwahodd ei ffrindiau oherwydd y cywilydd mawr roedd ganddi o'i mam ei hun?

Clywodd sŵn y sychwr gwallt yn cael ei ddiffodd a llais Siân yn dweud rhywbeth. Gadawodd Lois y coffi a mynd at droed y grisiau.

'Sori – be ddeudist ti?' galwodd i fyny.

Eiliad neu ddau o dawelwch, yna daeth Siân i'r landin ac edrych i lawr.

'O...' meddai.

'Be?'

'Dim byd. Jest... ydy dy fam ddim wedi dŵad yn ei hôl?'

Dringodd Lois y grisiau.

'Nac ydy. Pam, be sy?'

'Mi faswn i'n taeru fod 'na rywun wedi cerddad heibio'r drws rŵan,' meddai Siân.

Edrychodd Lois arni, yna cerddodd at ddrws stafell wely Buddug a'i agor. Brathodd ei phen i mewn.

'Neb,' meddai. Caeodd y drws a throi at Siân. 'Be'n union welist ti?'

'O, dim byd, ma'n amlwg. Do'n i ddim yn sbio'n iawn, beth bynnag, mond trw gornel fy llygad. Rhyw gysgod, falla, ond... dwi ddim yn siŵr... mi gymris i mai chdi oedd yno.'

Mae hyn wedi digwydd i mi, meddyliodd Lois. Fwy nag unwaith. Roedd Siân yn syllu'n feddylgar ar ddrysau'r ddwy lofft arall a'i breichiau wedi'u plethu amdani'i hun, fel petai hi'n teimlo'n oer.

'Ty'd,' meddai Lois. 'Ma'r coffi'n barod. Awn ni i lawr, ia?'

Roedd gwallt Siân yn ymwthio i bob cyfeiriad, yn crefu am gael ei frwsio, ond yn hytrach na dychwelyd i stafell Lois, nodiodd a brysio i lawr y grisiau.

Heb newid o'i jîns gwlyb.

Fel petai hi ddim am aros ar y landin un foment yn hwy.

Ar ôl rhyw chwarter awr o sgwrsio ac yfed coffi, roedd Siân fwy neu lai wedi'i pherswadio'i hun na welodd hi ddim byd o gwbwl.

'Cysgod oedd o,' meddai wrth Lois. 'Cysgod rhyw dderyn yn hedfan heibio i ffenest y landin, ma'n siŵr.'

Nodiodd Lois. 'Mae o wedi digwydd i minna hefyd,' meddai gyda gwên a hyd yn oed chwerthiniad bach, gan roi'r argraff i Siân ei bod hithau wedi camgymryd cysgod aderyn am...

Wel, ia, dyna'r peth, meddyliodd Lois – am beth? Yn sicr doedd hi ddim am ddweud wrth Siân fod hyn wedi digwydd iddi hi ar ôl iddi dywyllu, pan na fyddai wedi bod yn bosib i'r un aderyn daflu'i gysgod dros y landin.

Esgusododd ei hun er mwyn mynd i'r tŷ bach. Sylwodd Siân fod ffôn symudol Lois ar y bwrdd. Rhywbeth arall a gostiodd ffortiwn, gwelodd, un o'r ffonau-gwneud-bob-dim-dan-haul rheiny... a neidiodd fel sgwarnog nerfus pan ganodd y blwmin peth a hithau ar fin ei godi er mwyn edrych arno'n iawn.

Heb feddwl, cododd ef a gwasgu'r botwm i'w ateb.

'Helô?' meddai, cyn sylweddoli. 'O! Y... ffôn Lois, helô?'

Dyn oedd yno.

'Helô... Lois?'

'Naci... ond hwn ydi'i ffôn hi.'

'Pwy sy'n siarad?' gofynnodd y dyn, yn ddigon swta hefyd, tybiai Siân.

'Ma Lois yn y tŷ bach. Siân sy 'ma... ffrind...'

'Ffrind,' meddai'r dyn.

'Ia...'

'Ffrind,' meddai eto, gyda phwyslais ar y gair. '*Y* ffrind, dwi'n cymryd?'

Fel tasa fo'n deud "y fflemsan" neu "y lwmp o gachu", meddyliodd Siân.

'Sori?'

'Gawsoch chi hwyl? Chdi a Lois a Buddug?'

Be ar y ddaear?

'Ma'n ddrwg gen i,' meddai Siân. Diolch byth, clywodd sŵn y dŵr yn cael ei dynnu yn y tŷ bach. 'Dwi ddim yn dallt…'

'O, nac wyt, dwi'n siŵr!' chwyrnodd y dyn, a oedd yn amlwg wedi cynhyrfu am rywbeth. 'Jôc fawr, ia? Sefyll yno'n tynnu stumia…'

'Be?'

'Y llun, hogan!'

'Pa lun? Ylwch, sgen i ddim syniad be…' Daeth Lois o'r tŷ bach ac yn ôl i mewn i'r gegin a daeth gwg i'w hwyneb pan welodd hi Siân ar ei ffôn. 'Ma Lois yma rŵan. Dyma hi i chi…' Gwthiodd y ffôn at Lois. 'Rhyw foi… sori, mi wnes i ei atab o heb feddwl…'

Cymerodd Lois y ffôn oddi arni, yn amlwg yn bell o fod yn hapus.

'Helô?' Yna ochneidiodd. 'O, be w't *ti* isio?'

Clywodd Siân lais y dyn yn ei dweud hi'n o hegar ac yn swnio o'r pellter hwn fel rhyw boli parot piwis yn traethu.

Yna gwelodd y lliw'n diflannu o wyneb Lois wrth iddi wrando.

'Lois?' Cododd Siân a chychwyn amdani. 'Lois, ti'n ocê?'

A gollyngodd Lois y ffôn.

Syrthiodd y teclyn drudfawr i'r llawr a safai Lois yno'n rhythu arno a'i hwyneb yn hollol wyn, fel petai'r ffôn wedi troi'n neidr wenwynig yn ei llaw.

7

'Lois?' meddai Siân. 'Lois, be sy?'

Welodd Siân erioed neb yn colli'i liw mor gyflym ac ofnai fod Lois am lewygu. Drwy ryw wyrth, doedd y ffôn ddim wedi torri ar ôl cael ei ollwng ar lawr y gegin; roedd llais y dyn powld i'w glywed yn gwawchian ohono. Gwyrodd Siân amdano ond neidiodd wrth i Lois fwy neu lai sgrechian 'Paid!' arni.

'Be?'

'Jest… jest gad iddo fo!'

Ymwthiodd Lois heibio iddi a chodi'r ffôn oddi ar y llawr. Yn ffyrnig, gwasgodd y botwm i'w ddiffodd gan edrych fel petai hi'n gwneud ei gorau i'w dagu, cyn agor un o'r droriau a gollwng y ffôn i mewn. Caeodd y drôr â chlep a wnaeth i'r llestri uwch ei ben grynu a thincian. Safodd yno'n rhythu ar y drôr – fel petai hi'n ofni iddo ailagor ohono'i hun, meddyliodd Siân, ac i'r ffôn neidio allan ohono.

'Blydi hel, Lois – be sy?' gofynnodd Siân eto.

Roedd ymddygiad Lois, heb sôn am yr olwg frawychus ar ei hwyneb, wedi'i hysgwyd a'i dychryn. Pwy goblyn oedd y dyn ar y ffôn? A be oedd o wedi'i ddweud wrth yr hogan? Ai rhyw byrfyrt oedd o? Roedd o'n swnio fel tasa fo wedi cael ei ypsetio'n ofnadwy gan ryw lun neu'i gilydd, llun o Lois a rhyw Fuddug a hogan arall.

Be sy 'di bod yn digwydd yn y tŷ 'ma?

'Lois,' meddai. 'Pwy oedd ar y ffôn?'

Yn araf, trodd Lois ac edrych arni. Ceisiodd wenu, ond roedd fel gwylio penglog yn ceisio gwenu. Cofiodd Siân am y gair ddefnyddiodd Marc Morris wrth ddisgrifio Lois: *weird*. Roedd o'n iawn hefyd, meddyliodd Siân: mae hon *yn weird*.

'Lois? Pwy oedd o?'

Rhythodd Lois arni am ychydig, yn amlwg yn ceisio penderfynu a oedd hi am ateb neu beidio.

Yna meddai, 'Neb. Neb o bwys.'

'O... reit, ocê,' ochneidiodd Siân. Iawn, meddyliodd, paid ta, os mai fel 'na rw't ti isio bod. Edrychodd o'i chwmpas: ble roedd Lois wedi rhoi'i chôt hi, tybed? 'Yli, fasa'n well i mi feddwl am fynd adra...'

'Na!'

Neidiodd. Roedd Lois wedi cydio'n dynn yn ei braich ac roedd yr olwg ofnus honno'n ôl ar ei hwyneb. 'Paid... plis... paid â mynd. Ddim rŵan...'

Taflodd olwg ofnus heibio i Siân, i gyfeiriad drws agored y gegin a arweiniai i'r cyntedd a'r grisiau.

'Lois, plis,' meddai Siân. Roedd bysedd Lois yn gwasgu'n boenus i mewn i gnawd ei braich.

'Sori, sori...'

Gollyngodd Lois ei gafael a rhwbiodd Siân ei braich.

'Fedri di ddim mynd rŵan.' Croesodd Lois at y ffenest ac edrych allan. 'Ma hi'n dal i fwrw glaw, mi fyddi di'n wlyb at dy groen eto a chditha ond newydd sychu dy wallt...'

'Wel, yndi. Ond os ga i fenthyg ymbarél…'

'Mi fydd Mam yn ôl cyn bo hir.' Gwenodd y penglog arni eto. 'Dwi'n gwbod bydd Mam isio dy gyfarfod di.' Chwarddodd, ond roedd yna dinc ychydig yn hysteraidd i'r chwerthin. 'Roedd hi'n cwyno gynna, jest cyn iddi fynd allan, 'mod i byth yn dŵad â neb adra. Ty'd…' Ceisiodd ailgydio ym mraich Siân ond camodd Siân oddi wrthi. 'Plis, Siân. Un coffi arall?'

A meddyliodd Siân: Blydi hel, mae ar yr hogan ofn rhywbeth! Roedd y ffordd roedd hi'n erfyn ar Siân i aros yn dweud hynny'n glir – hynny a'r ffordd y neidiai ei llygaid i gyfeiriad y drws agored…

… a'r cyntedd

… a'r grisiau

… fel petai hi'n disgwyl gweld rhywun – neu *rywbeth* – yn ymddangos unrhyw funud, ac wrth iddi feddwl hyn, cofiodd Siân am y cysgod hwnnw y cafodd hi gip arno'n fflitian heibio i ddrws stafell Lois.

Ac yna'r teimlad rhyfedd hwnnw a lifodd trwyddi pan oedd hi i fyny'r grisiau, ar y landin. Teimlad o banig oer a'r sicrwydd bod yn rhaid iddi fynd i lawr y grisiau'n syth bìn, dim ots be, heb frwsio'i gwallt, heb newid o'i jîns gwlyb hyd yn oed.

Dwi isio mynd adra, meddyliodd.

Dwi isio mynd adra rŵan.

Ond yn lle hynny, meddai: 'Iawn, ocê,' ac eistedd yn ei hôl wrth y bwrdd. 'Un coffi arall, ia?'

Daeth Buddug o Spar gan deimlo'n reit falch ohoni'i hun. O'r gorau, efallai ei bod hi wedi petruso uwchben y poteli gwin – yn enwedig y Rioja oedd ganddyn nhw am bris isel arbennig – ond yna cofiodd am yr hen olwg ddirmygus, hyll ar wyneb Lois. Cefnodd arnyn nhw er ei bod bron yn gallu eu clywed nhw'n galw'n ddigalon a siomedig ar ei hôl, fel plant wedi'u gadael yn yr ysgol ar eu bore cynta.

Ar y ffordd yno, ac eto rŵan ar ei ffordd yn ôl tuag adre, cadwodd ei llygaid ar agor yn y gobaith o weld yr hogyn mewn top hwdi a fu'n sbio mor ddigywilydd i mewn i'r tŷ ben bore heddiw. Ond roedd hi'n bwrw gormod hyd yn oed i hwdis, penderfynodd Buddug.

Erbyn hyn, a hithau'n tynnu at amser cinio, a phobol eraill o'i chwmpas a'r ceir a'r bysus yn gyrru ar hyd y ffordd heibio iddi – â'r holl normalrwydd o'i hamgylch ym mhobman – roedd Buddug wedi dechrau ei hamau ei hun. Oedd hi wedi gweld rhywun yn y drws, go iawn? Newydd godi o'r gwely roedd hi, wedi'r cwbwl, a hynny'n gynnar ar y naw; roedd hi'n sicr o fod yn weddol gysglyd, os nad yn hanner cysgu.

Ac, efallai, yn dal i freuddwydio.

Na, penderfynodd, nid breuddwydio ro'n i, roedd 'na rywun yno. Dwi ddim yn dechrau colli arnaf, nac yn gweld petha, er gwaetha'r hyn mae Lois yn ei feddwl ohona i.

Pan gyrhaeddodd hi'r tu allan i dŷ Jac Bennett, felly, trodd i mewn drwy'r giât a chanu cloch y drws.

Dim ateb.

Gwasgodd Buddug ei bys eilwaith ar y gloch, gan wrando'r tro hwn. Doedd dim smic i'w glywed, a'r gloch yn amlwg wedi malu. Curodd y drws a rhag ofn nad oedd hynny'n ddigon uchel, rhoes glac-clac-clac i'r blwch llythyron.

Ond efallai fod y dyn allan. Gwyrodd Buddug yn ei blaen a chraffu drwy baneli gwydr y drws, gan sylweddoli ar yr un pryd mai fel hyn yn union roedd yr hogyn hwnnw, wrth ei drws hi, yn gynharach heddiw.

Gallai weld siâp rhywun yn sefyll wrth ddrws y gegin.

'Helô?' galwodd. 'Mr…' Be gebyst oedd enw'r dyn? O, ia – Bennett. 'Helô, Mr Bennett?' a gwelodd y siâp yn troi'n fwy solet wrth i'r dyn drws nesa ddod ar hyd y cyntedd am y drws.

Agorodd Jac Bennett y drws.

Sylweddolodd Buddug mai heddiw oedd y tro cynta iddi weld ei chymydog yn iawn. Doedd hi ddim wedi sylwi rhyw lawer arno pan geisiodd o'i gyflwyno'i hun iddi'r diwrnod cynta hwnnw pan oedd hi a Lois yn symud yma.

Yr hyn a welai oedd dyn tal yn ei saithdegau, a'i wallt gwyn wedi'i dorri mewn steil y meddyliai Buddug amdano fel steil roc-a-rôl. Roedd llewys ei gardigan wedi'u torchi ac ar ei fraich dde cafodd gip ar datŵ o ben Elvis Presley.

'O, helô,' meddai Buddug, gan wenu'n llydan.

Ond roedd ei gwên wedi'i gwastraffu'n llwyr ar Jac Bennett. Safodd yno'n syllu arni a'i wyneb yn hollol ddifynegiant. Teimlodd Buddug ei gwên yn llithro ychydig.

'Buddug,' meddai. 'Drws nesa?'

Parhaodd Jac Bennett i syllu arni.

'Ylwch, ma'n ddrwg gen i am darfu arnoch chi...' Disgwyliai iddo fo ddweud rhywbeth yn ôl, ond na: safai'r dyn anghwrtais yno fel cerflun anghroesawgar. Serch hynny, bwriodd Buddug yn ei blaen. 'Meddwl o'n i, tybad weloch chi rywun yn hofran o gwmpas y tu allan i'n tŷ ni ben bora heddiw?'

Ar ôl parhau i syllu arni am eiliad neu ddau, ysgydwodd Jac Bennett ei ben yn swta.

'Neb,' meddai. 'Welis i neb.'

A dechreuodd gau'r drws. Dwi ddim am gymryd hyn, meddyliodd Buddug.

'Esgusodwch fi!' meddai'n siarp. 'Dwi ddim wedi gorffen eto.'

Rhythodd Jac Bennett arni, yna gwgodd. Ond o leia roedd o wedi rhoi'r gorau i gau'r drws yn ei hwyneb.

'Diolch. Drychwch – ben bora heddiw, roedd 'na rywun yn sefyll ar garreg y drws, yn gneud ei ora i sbio i mewn i'r tŷ. Pan es i allan i chwilio amdano fo, doedd dim golwg ohono fo. Ond mi welis i chi, yn ffenest eich llofft yn edrych allan. 'Dach chi'n *siŵr* na weloch chi rywun?'

'Neb!' meddai Jac Bennett eto.

'Hogyn oedd o, dwi'n meddwl,' meddai Buddug. 'Yn gwisgo un o'r petha 'ma efo hwd...'

Ymateb o'r diwedd – ond nid yr ymateb roedd Buddug wedi'i ddisgwyl. Trodd wyneb Jac Bennett yn wyn fel y galchen ac edrychai fel petai o wedi heneiddio ddeng mlynedd o fewn ychydig eiliadau.

'Mr Bennett?' meddai Buddug yn bryderus. 'Ydach chi'n iawn?'

Roedd ceg Jac Bennett yn agor a chau fel petai o'n brwydro i ddweud rhywbeth ac ofnai Buddug ei fod o am gael trawiad ar ei galon yn y fan a'r lle. Llwyddodd i ddweud rhywbeth ond methodd Buddug â'i glywed.

'Ma'n ddrwg gen i?' meddai, gan wyro ymlaen. Yna ebychodd yn uchel oherwydd roedd Jac Bennett wedi cau'i fysedd am ei braich, fel crafanc rhyw hen aderyn.

'Ewch o 'ma!' chwyrnodd arni. 'O 'ma – o'r tŷ yna. Chdi a'r hogan yna. Y hi ydy'r drwg, ti'n 'y nghlywad i?'

'Be?' Ceisiodd Buddug dynnu'i braich yn rhydd ond roedd Jac Bennett, er gwaetha'i oed, yn gryfach na'r disgwyl. 'Mr Bennett, plis...'

'Gwranda, 'nei di!' Roedd wyneb Jac Bennett reit yn ei hwyneb. Gallai Buddug arogli ei anadl; roedd o'n drewi fel hen gig wedi pydru. Arogl fel yna fasa ar wynt corff marw, meddyliodd wedyn, tasa corff marw'n gallu anadlu. 'Ma'n rhaid i chi fynd o 'ma, w't ti'n clywad? Chdi a dy ferch. Yn enwedig hi. Hi ydy'r drwg, ti'n dallt? Roeddan nhw o gwmpas y lle cyn i chi gyrradd yma.

Ond ers i chi'ch dwy ddŵad, maen nhw ddeg gwaith yn waeth! Hi sy wedi'u denu nhw allan, fedri di ddim gweld hynny? *Hi*!'

Gollyngodd ei afael ar fraich Buddug yn hollol annisgwyl, a chan ei bod hi'n tynnu yn ei erbyn ar yr un pryd, baglodd yn ei hôl gan ddod o fewn dim i syrthio ar ei hyd.

Erbyn iddi sadio rhywfaint, roedd Jac Bennett wedi cau'r drws.

Ym mhentre Caergwrle, nid nepell o Wrecsam, rhegodd Jonathan Evans yn uchel wrth ddiffodd ei ffôn eto fyth.

Oedd raid i Lois fod mor blydi styfnig? meddyliodd. Chwarae teg, fo oedd yr un a ddylai fod yn pwdu, o gofio'r tric ffiaidd roedd y ddwy ohonyn nhw wedi'i chwarae arno fo.

Roedd o wedi pwdu hefyd, am bron i wythnos...

Yna fe'i cywirodd ei hun. Nid pwdu oedd y gair. Bu'n gandryll am ddyddiau ar ôl derbyn y llun uffernol hwnnw, wedi gwylltio'n gacwn efo Lois – ia, ac efo Buddug hefyd, petai'n dod i hynny. Dyna pam nad oedd o wedi gallu ffonio Lois ynglŷn â'r llun tan heddiw (neu dyna beth a ddywedai wrtho'i hun, beth bynnag) roedd o wedi gwylltio gormod efo'r ddwy ohonyn nhw.

Anodd dweud pwy oedd wedi gwylltio Jonathan

fwya – Buddug am gymryd rhan yn yr holl beth, am adael i'r llun gael ei dynnu yn y lle cynta, neu Lois am ei anfon ato fo.

Ynghyd â'r neges tecst:

Roeddat ti isio gwybod sut mae Mam. Fel hyn ma hi.
Hapus rŵan?

Nac oedd, wrth gwrs – roedd o'n bell o fod yn hapus. Roedd y llun wedi'i wylltio, oedd, ond hefyd wedi'i ypsetio; dyn a ŵyr, roedd o wedi gwneud ei siâr o deimlo'n euog pan chwalodd ei briodas o a Buddug, a dyma'r ddwy yma rŵan yn troi ei euogrwydd yn rhyw fath o jôc greulon drwy greu'r llun ofnadwy. Sut ar wyneb y ddaear oedden nhw wedi disgwyl iddo ymateb? Buddug yn edrych fel petai hi'n chwil ulw gaib, yn hanner-eistedd, hanner-gorwedd mewn cadair freichiau, wedi'i gwisgo mewn hen goban racslyd a gŵn nos sglyfaethus yr olwg.

Ond yn fwy na dim arall – a dyma beth roedd ar Jonathan ofn ei gyfadde wrtho'i hun – roedd y llun hefyd wedi'i ddychryn.

Oherwydd roedd trydydd person yn y llun.

Merch ifanc – ffrind i Lois, cymerodd i gychwyn, oherwydd roedd hi tua'r un oed â hi.

Ond...

Roedd rhywbeth am y ferch. Rhywbeth nad oedd... wel, yn *iawn*, rywsut. Rhywbeth nad oedd i fod.

Edrychai ar yr olwg gyntaf fel petai hi'n hanner

cuddio'r tu ôl i gadair Buddug, a bod y ffotograffydd – Lois, tybiai Jonathan – wedi'i dal hi'n sbecian allan.

Bron fel petai hi'n chwarae pi-po.

Ond doedd dim byd direidus am hon. Efallai mai ar ansawdd y llun ffôn roedd y bai, ond roedd ei hwyneb yn annaturiol o wyn, fel petai hi wedi rhwbio blawd i mewn i'w chroen, ac edrychai'n wynnach fyth oherwydd y gwallt du hir a fframiai ei hwyneb.

Ac ar ei hwyneb roedd y wên fwya maleisus a welodd Jonathan Evans erioed.

Dyna pam ei fod o wedi gollwng ei ffôn mewn braw pan welodd o'r llun gynta, nos Sul diwetha, ac efallai'n wir ei fod o wedi gwneud hynny gyda bloedd, doedd o ddim yn siŵr iawn. Yna safodd uwchben y ffôn, yn gwybod yn iawn fod yn rhaid iddo blygu a'i godi oddi ar y carped, ond yn gyndyn iawn o wneud hynny. Sylweddolodd fod ei ddwylo'n llithrig â chwys a sychodd hwy ar goesau ei drowsus: yn wir, roedd o'n chwys drosto i gyd – hen chwys oer, annifyr.

O'r diwedd, magodd ddigon o blwc i godi'r ffôn oddi ar y llawr... ac i edrych eto ar y llun, a dod yn agos iawn at ei ollwng eilwaith.

Doedd dim golwg o'r ferch.

Rhythodd Jonathan. Be ddiawl oedd yn digwydd? Oedd o'n drysu? Craffodd, gan ddal y ffôn bob ffordd.

Nac oedd, doedd hi ddim yno, roedd hi wedi mynd.

Yna cafodd Jonathan Evans y teimlad ofnadwy ei

bod hi yno ond yn ymguddio o'r golwg y tu ôl i'r gadair lle gorweddai Buddug.

Ac y byddai, unrhyw eiliad, yn sbecian arno fo eto efo'r hen wên filain honno ar ei hwyneb gwyn...

... ac efallai'n cropian tuag ato ar draws y carped.

Sgrialodd bysedd Jonathan – oedd raid iddyn nhw fod mor llithrig a lletchwith? – dros fotymau'r ffôn wrth iddo geisio dileu'r llun, proses ddigon hawdd fel arfer ond y diwrnod hwnnw mynnai ei fysedd wasgu'r botymau anghywir bob gafael, nes o'r diwedd, diflannodd y llun am byth o sgrin fechan ei ffôn.

Beth yn y byd ddigwyddodd?

Am ddyddiau wedyn bu Jonathan yn ceisio dyfalu. Soniodd o'r un gair wrth Lena, ei bartner newydd, rhag ofn iddi hi feddwl ei fod o'n dechrau drysu.

Ond tybed a oedd o'n dechrau drysu?

Aeth deuddydd cyfan heibio cyn iddo fentro defnyddio'i ffôn eto – a diwrnod arall cyn ei fod o'n teimlo'n ddigon dewr i fyseddu drwy'r holl negeseuon a oedd yn aros am ei sylw.

Rhag ofn fod yna un arall oddi wrth Lois.

Rhag ofn fod y ferch honno wedi dod yn ei hôl.

Erbyn diwedd yr wythnos, roedd o wedi llwyddo i'w berswadio'i hun ei fod o'n iawn yn y lle cynta ac mai tric oedd y cyfan; tric effeithiol iawn, ia, ond tric creulon dros ben. Deffrodd droeon yn ystod yr wythnos yn gweiddi mewn ofn, wedi breuddwydio'i fod o'n gweld wyneb gwyn y ferch a'i gwên faleisus yn sbecian arno heibio i ddrws hanner agored ei stafell wely, neu'n chwarae pi-po wrth droed y gwely, neu – a hon oedd yr un waetha – yn cropian yn gyflym amdano dros y gwely fel pry copyn mawr, milain.

Sut oedd y tric wedi cael ei wneud? Doedd gan Jonathan ddim clem. Rhyw feddalwedd newydd ar gyfer y ffôn, mae'n siŵr; doedd yna bob mathau o bethau ar gael y dyddiau hyn? Miloedd o wahanol *apps* a ballu...

Ia, tric, yn saff, penderfynodd.

Dyna pam ei fod o mor flin erbyn iddo – o'r diwedd – ffonio Lois ar y bore Sadwrn canlynol.

Ond i gael merch arall yn ateb. Ffrind Lois, meddai hi. *Y* ffrind, tybed? Dechreuodd Jonathan arthio arni, ond sylweddolodd yn fuan nad oedd gan yr eneth druan ddim clem am be roedd o'n siarad.

A phan ddaeth Lois ei hun ar y ffôn...

Mae'n wir na fu llawer o Gymraeg rhyngddo fo a hi dros y misoedd diwetha, ond roedd yna adeg pan oedden nhw'n fêts mawr. Ac roedd Jonathan yn adnabod ei ferch yn ddigon da i wybod pan oedd hi'n dweud celwydd neu'n celu rhywbeth oddi wrtho.

A doedd dim un arwydd o hynny yn llais Lois. Roedd yn amlwg iddo nad oedd ganddi hithau ddim clem chwaith.

Os rhywbeth, swniai fel petai hi wedi'i dychryn...

ac yna diffoddodd hi'i ffôn, a doedd hi ddim, hyd y gwyddai Jonathan, wedi'i droi ymlaen wedyn.

Nefoedd fawr, meddyliodd. Be uffarn sy'n digwydd yn y tŷ yna?

8

Cwestiynau tebyg oedd yn llenwi meddwl Siân hefyd, drwy gydol y dydd Sadwrn.

A rhan go helaeth o nos Sadwrn petai'n dod i hynny. Doedd y ffaith ei bod yn noson wyntog ddim yn help a deffrodd Siân fwy nag unwaith â'r teimlad fod rhywun yn curo ar wydr ffenest ei stafell wely.

A phan ddechreuodd fwrw glaw, cafodd y syniad annifyr ei fod yn swnio'n union fel ewinedd miniog, hirion yn crafu yn erbyn ei ffenest.

Gorweddai'n effro yn gwrando ar y gwynt a'r glaw ac yn meddwl am Lois. Os ydw i'n teimlo'n nerfus... na, Siân, bydd yn onest rŵan... os ydw i'n teimlo'n ofnus ar noson fel hon, yma, adra, sut mae hi'n teimlo...

... yn y tŷ 'na?

Crwydrodd meddwl Siân yn ôl i'r sgwrs fer a gafodd hi a Lois dros yr ail baned honno o goffi. Roedd Lois yn gyndyn ar y cychwyn – a wela i ddim bai arni hi chwaith, meddyliodd Siân wedyn: mi faswn inna'n gyndyn o gychwyn sgwrs o'r fath hefyd. Ond be ydy'r dywediad gwych hwnnw sy gan y Saeson – pan fo rhywbeth amlwg yn digwydd ond neb yn fodlon cydnabod hynny? *The elephant in the room*, dyna fo.

Siân oedd yr un i grybwyll yr eliffant yn y diwedd. 'Lois, ma 'na rywbath sy... wel, ddim yn iawn am y tŷ 'ma, yn does?'

Unwaith eto, yr edrychiad nerfus hwnnw i gyfeiriad

y drws cilagored. Ochneidiodd Lois yn uchel a gwthio'i bysedd drwy'i gwallt. 'O, dydy o ddim yn deg!' meddai. 'Dwi'm yn coelio mewn crap fel 'na! Dwi ddim!' Edrychodd dros y bwrdd i fyw llygaid Siân fel petai hi'n ei herio i anghytuno efo hi.

'Dw inna'm chwaith,' meddai Siân, ond gwyddai nad oedd ei llais yn swnio'n sicr iawn. 'Petha fel *Twilight* – ma nhw'n ocê am dipyn o hwyl. Ond crap ydyn nhw, ti'n iawn.'

Wna i ddim sôn am y posteri sy gen i o Robert Pattinson a Kristen Stewart yn fy stafell, meddyliodd. Cofiodd fel roedd hi wedi mynd efo'i ffrindiau i'r sinema i weld *The Woman In Black*, yn bennaf oherwydd bod Daniel Radcliffe, o'r ffilmiau Harry Potter, yn actio ynddi. Roedden nhw wedi disgwyl rhywbeth tebyg i'r ffilmiau rheiny, ond cawsant ail – Siân yn enwedig. Roedd y ffilm wedi'i dychryn, a chafodd gryn drafferth cysgu am sawl noson wedyn.

Na, wna i ddim sôn am hynny chwaith, meddyliodd.

'Dwi rioed wedi leicio ryw betha fel 'na,' meddai. 'Petha *spooky*. Ond... wel, ma 'na rywbath yn amlwg wedi d'ypsetio di. Ne rywun. Pwy oedd ar y ffôn gynna, Lois?'

Edrychodd Lois arni, yna meddai, 'Dad.'

'O...'

Rhythodd Siân arni, a'r hyn a wibiai drwy'i meddwl oedd: Plis paid â deud fod dy dad wedi marw a'i fod o'n dal i dy ffonio di o bryd i'w gilydd!

'Ma nhw wedi ysgaru, Mam a fo,' meddai Lois. O, diolch i Dduw am hynny! meddyliodd Siân. Petrusodd Lois fel petai hi am ddweud rhywbeth arall, yna cododd a mynd at y ffenest ac edrych allan i'r ardd gefn.

'Dydy o ddim yn helpu fod yr hogyn hwnnw wedi bod yn hongian o gwmpas y lle,' meddai ar ôl ychydig.

'O... hwnnw roeddat ti'n meddwl mai Ifan oedd o?'

Nodiodd Lois heb droi. 'Mi ddaru Ifan 'i weld o...' meddai'n dawel, wrthi'i hun, bron. Yna trodd at Siân. 'Be'n union welodd o, Siân, w't ti'n gwbod?'

'Wel...' Cododd Siân ei hysgwyddau. 'Rhywun yn gwisgo hwdi, dyna'r cwbwl ddeudodd o wrtha i. Mond cip sydyn gafodd o arno fo, medda fo.'

'Mmmm... Roedd o'n ôl yma ben bora heddiw,' meddai Lois.

'Be? Welist ti o?'

'Naddo. Ond mi na'th Mam. Roedd o'n sefyll yn y drws, medda hi, yn trio sbio i mewn i'r tŷ.'

'Lois! Ddaru chi ffonio'r heddlu?'

'Naddo.' Dychwelodd Lois at y bwrdd gan rwbio'i breichiau. 'Mi aeth Mam allan i chwilio amdano fo ond roedd o wedi mynd.'

'Ddylach chi ffonio'r cops os oes rhywun yn loetran o gwmpas y lle,' meddai Siân. 'Yn enwedig os ydy o'n cerddad i mewn ac allan o'r ardd fel mae o'n teimlo. *Loitering with intent* ma nhw'n galw peth fel 'na, yndê?'

'Ia...' Edrychodd Lois i gyfeiriad y drws unwaith eto. 'Ond y peth ydy... dwi'n ofni falla'i fod o... wel, 'i fod o'n rhan o... ysti...' Amneidiodd i gyfeiriad y drws. 'Ei fod o ddim yno go iawn, jest... yno, felly.'

'O, blydi hel, Lois...' Dechreuodd Siân deimlo'n oer eto.

'Mi welist ti rywbath gynna, yn do? Ar y landin...' meddai Lois.

'Naddo! Paid, Lois, ocê? Jest meddwl o'n i...'

'Ia, wel – dw inna wedi jest meddwl hefyd. Droeon. Dwi wedi deffro, yn meddwl fod rhywun yn fy stafall i, yn sefyll uwchben y gwely'n sbio arna i'n cysgu, wedi plygu drosta i efo'i wyneb reit uwchben f'un i, ond pan dwi'n rhoi'r lamp ymlaen, does neb yno....'

'Paid...'

'... a dwi wedi jest meddwl, fel wnest ti, fod 'na rywun yn brysio heibio ar y landin, ond pan dwi'n mynd allan a sbio, does dim golwg o neb...'

'Lois! Rho'r gora idd...'

'... a dwi wedi clywad rhywun yn chwerthin, neu'n rhyw hannar-chwerthin, fel tasan nhw'n trio peidio ond ddim cweit yn llwyddo, a wyddost ti be? Dwi'n gwbod mai crap ydy o i gyd, fod yna ddim ffasiwn betha â rhyw betha fel 'na, mond yn llyfra Stephen King, ond dwi wedi dechra jest meddwl falla nad crap ydy o, a bod y petha 'ma o gwmpas wedi'r cwbwl.'

Rhythodd y merched ar ei gilydd dros y bwrdd, eu coffi wedi hen oeri.

Yna, neidiodd y ddwy wrth i rywun guro wrth y drws ffrynt.

Roedden nhw wedi sgrialu am ddwylo'i gilydd, ond mynd i deimlo fel dwy het pan ddaeth y dyrnu eto, ond y tro hwn roedd llais dynes yn galw, 'Lois? Lois!'

'Shit...' meddai Lois, gan ryddhau llaw Siân a gwenu'n ymddiheurol arni. 'Mam...' Cododd glwstwr o allweddi o'r tu mewn i bowlen bren a oedd i fod yn dal ffrwythau. 'Wedi anghofio'r goriada.' Yna diflannodd ei gwên wrth iddi sibrwd yn ffyrnig, 'Siân, paid â deud dim byd wrth Mam, ocê? Plis?'

Nodio wnaeth Siân ac eisteddodd Lois yn ôl wrth i'w mam ddod i mewn i'r gegin. Arhosodd y ddynes yn stond pan welodd hi Siân yn eistedd yno; roedd ei meddwl yn amlwg ar rywbeth arall wrth iddi ddod i mewn, a chymerodd eiliad neu ddau i sylweddoli mai rhywun dieithr oedd yn eistedd wrth ei bwrdd.

'O...' meddai. 'Y... helô.'

'Mam,' meddai Lois yn ddiangen. Ac yna, 'Siân.'

'Helô... y... Mrs Evans,' meddai Siân wrth godi.

Ysgydwodd mam Lois ei phen yn ddiamynedd. 'Buddug, plis.' Roedd ei gwallt yn reit wlyb, sylwodd Siân, er gwaetha'r ffaith fod ymbarél ganddi. Yn fwy na hynny, roedd golwg go wyllt arni, ac er ei bod wedi eistedd efo nhw i gael coffi, roedd hi'n hynod aflonydd, gan godi'n aml i wneud rhywbeth neu'i gilydd.

'Ma'n ddrwg gen i fod y lle 'ma â'i ben iddo, braidd,' meddai wrth i Siân adael. 'Rydan ni'n dal i fyw allan o focsys, i radda. Mi fydd tipyn gwell siâp arnon ni'r tro nesa i ti alw yma.'

Roedd y glaw wedi peidio bron yn gyfan gwbwl erbyn hyn. 'Ti'n siŵr na chymri di'r ymbarél?' meddai Lois, wedi i'w mam fynd yn ôl i'r gegin.

'Na, mi fydda i'n tshampion, diolch.'

Ceisiodd Lois wenu eto. 'Sori am... ysti...'

'Ma'n iawn, siŵr.'

Chwarddodd Lois, ond swniai'n chwerw iawn. 'Dyna un peth dydy o ddim, Siân. Dydy o ddim yn iawn o gwbwl, nac 'di?'

Ni wyddai Siân beth i'w ddweud. Heb feddwl, bron, camodd at Lois a rhoi hỳg iddi. 'Ti'n gwbod lle dwi'n byw os ti isio rhywbath, ocê?'

Nodiodd Lois: roedd Siân wedi rhoi'i chyfeiriad iddi'n gynharach. Arhosodd yn y drws yn gwylio Siân yn croesi'r ffordd a chychwyn i ffwrdd heibio i'r parc. Yna, cofiodd nad oedden nhw wedi cyfnewid rhifau ffôn... ond doedd arni ddim eisiau meddwl am ei ffôn ar hyn o bryd diolch yn fawr.

A meddyliodd Siân: Lois druan. Roedd hi'n edrych fel pe byddai hi'n rhoi aur y byd a'i berlau mân am gael dŵad efo fi.

Trodd. Roedd Lois yn dal i sefyll yn y drws yn ei gwylio. Cododd Siân ei llaw arni a chododd Lois ei llaw hithau cyn cau'r drws. Dechreuodd Siân droi i ffwrdd ond yna meddyliodd iddi gael cip ar rywun yn sefyll yn ffenest un o'r llofftydd ffrynt yn ei gwylio'n mynd, ond pan edrychodd yn iawn, doedd neb yno.

'Y tro nesa i ti alw yma…' oedd geiriau mam Lois.

Dyna un peth nad ydw i'n edrach ymlaen ato, meddyliodd Siân.

Mae 'na rywbath ynglŷn â'r tŷ 'na sy'n bell o fod yn iawn.

'O…' meddai Marc Morris, pan atebodd y drws i Ifan bnawn dydd Sul.

'O… be?' meddai Ifan.

Edrychodd Marc heibio i Ifan, yna daeth allan o'r tŷ ac edrych i fyny ac i lawr y stryd.

'Lle mae o?'

'Lle ma pwy?'

'Dwi'm yn gwbod, nac 'dw. Y boi 'na…'

Trodd Marc a gwgu ar Ifan fel petai o'n ei amau o chwarae tric arno.

'Pa foi?'

'Hwnnw oedd yn cerddad efo chdi rŵan, ar draws y parc.'

'Doedd 'na neb,' meddai Ifan, ond ar yr un pryd teimlai rywbeth oer yn deffro yng ngwaelodion ei stumog.

'Paid â malu, mi welis i chi'n dŵad yma,' mynnodd Marc. Edrychodd ar hyd y stryd eto. 'Roedd o'n cerddad y tu ôl i chdi.'

Roedd ceg Ifan wedi troi'n sych grimp. Gwlychodd fymryn ar ei wefusau.

'Welis i neb,' meddai. Doedd arno ddim eisiau gofyn ei gwestiwn nesa, ond gwyddai fod yn rhaid iddo wneud. 'Be… be'n union welist ti, Em?'

Tynnodd Marc ei gôt amdano a throi i gau drws ffrynt y tŷ ar ei ôl. 'Fel y deudis i – rhyw foi. Mewn hwdi.' Roedd o wrthi'n camu allan drwy'r giât wrth siarad, felly welodd o mo'r braw sydyn a wibiodd dros wyneb ei ffrind.

'Pwy oedd o?' gofynnodd Ifan.

'Sut w't ti'n disgwl i mi wbod?' Dechreuodd gerdded oddi wrth y tŷ, cyn sylweddoli nad oedd Ifan efo fo. 'Hoi! Sombi-man! Ti'n dŵad, ta be?'

Ymysgydwodd Ifan. 'Yndw…'

Allan ar y palmant, edrychodd Ifan i bob cyfeiriad. Sbiodd Marc arno'n rhyfedd.

'W't ti o ddifri?' holodd.

'Y?'

'Welist ti mohono fo, go iawn?'

Ysgydwodd Ifan ei ben.

'Ond blydi hel, 'sa fo ddim wedi gallu bod yn nes atat ti heb dy faglu di!' meddai Marc. 'Ro'n i'n meddwl mai rhywun yn chwara o gwmpas oedd o, ne'n dy haslo di ne rywbath.'

'Rhywun mewn hwdi,' meddai Ifan.

'Ia. Efo'i ddwylo yn 'i bocedi. Boi tena uffernol.'

Roedd Marc wedi gweld hyn drwy ffenest ei lofft, a edrychai allan dros y parc a'r meysydd chwarae. Dechreuai ddifaru'n awr ei fod o wedi agor ei geg o gwbwl oherwydd roedd golwg go ryfedd ar Ifan.

Fel tasa fo wedi dychryn am ei fywyd, meddyliodd Marc. Dechreuai yntau deimlo ychydig yn annifyr rŵan, hefyd; a mwya'n y byd y meddyliai am y "boi" hwnnw, lleia'n y byd roedd arno eisiau meddwl amdano, am ryw reswm.

'Welist ti'i wynab o?' gofynnodd Ifan.

'Naddo, roedd o fel tasa fo'n sbio i lawr, ac roedd 'i hwd o'n 'i guddiad o.'

Diolch i Dduw, meddyliodd. Ond pam ydw i'n meddwl hynny? Sylweddolodd ei fod o'n teimlo'n falch iawn na welodd o wyneb pwy bynnag oedd yn dilyn ei ffrind ar draws y cae.

'Ifs – be sy?' gofynnodd. 'Pwy oedd y boi? Rhywun sy'n dy haslo di?'

Chwarddodd Ifan, ond chwerthiniad ofnadwy oedd o, ac un hollol ddihiwmor.

'Haslo fi!' meddai. 'Yndi, mae o *yn* fy haslo i, fedri di ddeud hynny'n ddigon saff.'

O blydi hel, dwi ddim isio gwbod am hyn, meddyliodd Marc. Mae 'na rywbath rhyfedd go iawn yn digwydd yma.

'Wel,' meddai, gan wneud ymdrech i swnio'n ddi-hid, 'pwy bynnag oedd o, mae o wedi'i bygro hi o 'ma rŵan, yn dydi?' Tarodd Ifan yn chwareus ar ei fraich. 'Wedi sylweddoli dy fod yn galw yn nhŷ boi calad, ma'n siŵr.' Yna meddai, er ei waetha: 'Ty'd, deud bob dim wrth Yncl Marc. Fyddi di ddim 'run un wedyn.'

Gwenodd, a cheisiodd Ifan wenu'n ôl.

Ond anodd iawn fyddai dweud pa wên oedd yr un fwyaf ansicr.

Lle digon digalon oedd clwstwr siopau'r pentref ar ddiwrnod o hirfelyn haf: ar brynhawn Sul llwyd yn niwedd Tachwedd, byddai eistedd mewn mynwent yn cael gwell hwyl ar godi calon rhywun.

Doedd yr holl sbwriel ar hyd y llawr ddim yn helpu; roedd yr unig fin sbwriel y penderfynodd y cyngor lleol ei osod y tu allan i'r Spar yn crefu, ers dyddiau, am gael ei wagio ac eisoes wedi dechrau chwydu tuniau a photeli diod gweigion, pacedi creision a sawl dysgl blastig o'r siop sglodion – nifer o'r rheiny â gweddillion swper meddwon nos Sadwrn yn un slwj y tu mewn iddyn nhw – dros y palmant, gyda rhith drewdod saws cyri'n ogleuo'n gryfach, rywsut, yn y tywydd llaith.

Er bod wyth siop i gyd, dim ond tri busnes oedd yn dal i fodoli: Spar, siop sglodion a oedd yn cael ei chadw gan deulu o dras Twrcaidd (ar gau tan heno), a siop fferyllydd (ar gau tan fory). Roedd y lleill i gyd wedi hen roi'r ffidil yn y to.

Serch hynny, yma y deuai nifer o ieuenctid y pentref i... wel, i beth, yn union? Yn sicr nid i sgwrsio â'i gilydd: y peth cynta a wnâi pob un ohonyn nhw ar ôl cyrraedd oedd tynnu eu ffonau symudol o'u pocedi a'u bagiau a dechrau tecstio'u ffrindiau eraill – gweithred a awgrymai'n gryf nad oedd cwmni'r ffrindiau oedd efo nhw'n ddigon difyr.

Eisteddai Ifan a Marc ar sil ffenest gul adeilad a fu

ar un adeg yn salon harddwch. Dreamland Tanning Salon. Siop-lliw-haul, chwedl tad Ifan, ac roedd gan Ifan gof byw iawn o fel roedd Beca, ei chwaer fawr, wedi dod adre ar ôl un sesiwn yn Dreamland a'i chroen yn annaturiol o oren. 'Welis i rioed liw haul fel 'na ar neb' – ei dad, eto, a rhedodd Beca i fyny i'w llofft yn beichio crio.

Ond roedd Dreamland ar gau ers dros ddwy flynedd a dim byd wedi dod yno yn ei le. Yn y ffenest, o hyd, roedd yna boster gwelw yn hysbysebu'r gwahanol ryfeddodau a fu, ar un adeg, i'w cael yr ochr arall i'r drws.

Cododd Marc a throi er mwyn astudio'r poster. Nid dyma'r tro cynta iddo wneud hyn ond roedd o'n ysu am ddal ei afael ar hynny o normalrwydd ag y medrai; teimlai fod pethau ar hyn o bryd yn bell o fod yn normal.

'*Hopi Ear Candles*... be uffarn ydi petha felly?' gofynnodd.

'Be?'

Roedd Ifan hefyd wedi dod yma i geisio rhyw fath o normalrwydd; teimlai fod arno angen bod yng nghanol pobol, a gorau po fwya, hyd yn oed os oedd y bobol rheiny â'u pennau i lawr uwchben eu ffonau, yn tecstio fel coblynnod.

'*A Microdermabrasion*...' darllenodd Marc. 'Sgin ti unrhyw syniad?'

'Rhywbath efo'r croen?' cynigiodd Ifan.

'Ti'n meddwl?'

'Wel – ma'r gair *derma*'n rhan ohono fo. *Dermatologist* ydy doctor sy'n arbenigo mewn croen, yndê?'

'Ia, hefyd,' meddai Marc, er bod hyn yn wybodaeth newydd iddo fo. Yna gwelodd air cyfarwydd.

'O, dwi'n gwbod be ydy'r *waxing* 'ma,' meddai.

'W't ti?'

'Cael golchi a llnau dy glustia, yndê.'

Syllodd Ifan arno â pheth tristwch. 'Dwi ddim yn meddwl, mêt.'

'Y? Be ta?'

'Sbia o dan y gair *waxing*.'

Craffodd Marc. Roedd yr ysgrifen ar y poster wedi pylu gyda threigl amser ond roedd y geiriau *Underarms, Half Leg, Lip, Chin* a *Bikini Line* i'w gweld o hyd a darllenodd Marc hwy'n uchel.

'Yn hollol,' meddai Ifan. 'Ar ochra'u penna nhw ma clustia'r rhan fwya o bobol. Tasa unrhyw fodan efo'i chlustia ar ei gên neu'i gwefusa, neu o dan ei cheseilia, mi fasa angan rhywbath mwy na *beauty salon* arni.'

'Be ydy o, ta?'

'Mae 'na gliw yn y geiria *bikini line*.'

'Oes?'

Nodiodd Ifan.

Meddyliodd Marc.

'O...'

'Dallt rŵan?'

'Yndw, yndw... yndw, siŵr, dwi ddim yn thic.'

Edrychodd Ifan arno. 'Be ydy o, Marc?'

'Y?'

'Be ydy *bikini line*?'

'Wel – ma'n obfiys, yn dydy? Lein bicini, yndê!'

'Ia... ond be ydy o?'

'Wel... ysti...'

'Be?'

'Ocê, ocê!' ildiodd Marc. 'Be ydy o?'

Esboniodd Ifan, a rhythodd Marc arno mewn braw. 'Blydi hel! Ma'n swnio'n boenus uffernol.'

'Yndi, mae o,' cytunodd yr arbenigwr.

'Sut w't ti'n gwbod... O, Beca, ia?'

'Ia.' Roedd o wedi clywed Beca'n cwyno wrth ei fam nad *bikini line* oedd ganddi hi ond *bikini paragraph* – ond doedd o ddim am ddweud hynny wrth Marc. Roedd yr hogyn yn glafoerio hen ddigon wrth siarad am Beca fel roedd hi, a gwenodd Ifan wrth feddwl ei fod o newydd fwydo ychwaneg ar ddychymyg ei ffrind.

Sylweddolodd Ifan ei fod o'n teimlo'n well. Doedd o ddim wedi cael wythnos hawdd, efo'r hen freuddwydion cas rheiny'n ei ddeffro o leia un waith bob noson.

Breuddwydion lle roedd o'n rhedeg nerth ei draed oddi wrth rywun.

Neu rywbeth.

A deuai'r rhywun-neu-rywbeth hwnnw'n nes ac yn nes ato ym mhob breuddwyd. Neithiwr, deffrodd yn domen o chwys ar ôl breuddwydio ei fod o reit y tu ôl iddo. A dyma Marc heddiw'n dweud ei fod o wedi gweld rhywun...

… rhyw foi tenau, mewn hwdi…

… yn ei ddilyn wrth iddo groesi'r parc, ac oedd, roedd Ifan wedi'i deimlo yno – o, oedd! – ac wedi troi droeon i edrych, ond wrth gwrs doedd yno neb, neb o gwbwl… ond dyma EmAndEm rŵan yn dweud fod rhywun yno.

Rhywun, neu rywbeth.

Sylweddolodd hefyd ei fod o, wrth aros a throi ac edrych o'i gwmpas yn wyllt, wedi ymddwyn yn union fel roedd o a Marc wedi gweld Lois Evans yn ymddwyn wythnos yn ôl.

Ddylwn i siarad efo hi ynglŷn â hyn, meddyliodd. Ac ynglŷn â'r hwdi welodd hi'n sefyll y tu allan i ffenest ei chegin, oherwydd ddwy noswaith yn ôl roedd Ifan wedi mynd i mewn i'r stafell fyw i weld ei fam yn sbio allan drwy'r ffenest fel petai hi'n chwilio am rywun.

'Be 'dach chi'n neud?' gofynnodd.

'Mmmm? O – fi oedd yn meddwl fod yna rywun yn sefyll wrth y giât, yn sbio ar y tŷ 'ma.' Camodd ei fam yn ei hôl gan dynnu'r llenni ynghau.

'Un o ffrindia *creepy* hwn ydy o,' meddai Beca o'r soffa. 'Dw inna wedi'i weld o hefyd.'

'*Creepy*…' meddai Ifan, gan deimlo'r hen ias oer hwnnw'n cropian dros ei gorff unwaith eto.

'Petha *creepy* ydy dy ffrindia di,' meddai Beca'n arwyddocaol: roedd hi wedi cwyno fwy nag unwaith fod Marc Morris yn ei llygadu.

'Ma'r hogia i gyd yn edrach yn sinistr yn yr hen hwdis 'ma sy ganddyn nhw,' meddai ei fam.

Eisteddodd Ifan. Doedd ganddo ddim dewis: roedd ei goesau wedi troi'n stribedi o glai mwya sydyn. Meddyliodd am y cip a gafodd yntau ar rywun mewn hwdi yn sefyll yng ngardd tŷ Lois, eiliadau cyn i'r iob jeriatric hwnnw o'r tŷ drws nesa iddi ymosod arno. Ac fel roedd Lois ei hun wedi cael cip ar rywun tebyg y tu allan i ffenest ei chegin...

Ia, gora po gynta ga i gyfle iawn i siarad efo hi, meddyliodd Ifan.

Cafodd ei ddeffro o'i synfyfyrio wrth i Marc ei bwnio yn ei ystlys.

'Yli pwy sy'n dŵad.'

Edrychodd Ifan i fyny ychydig yn nerfus gan hanner disgwyl gweld rhywun mewn hwdi yn dod amdanyn nhw.

Diflannodd ei nerfusrwydd yn syth pan welodd mai Siân Parri oedd yno.

'Haia...' cychwynnodd, gan ddechrau gwenu fel ffŵl ond llithrodd ei wên pan sylwodd ar yr olwg bryderus ar wyneb Siân. 'Siân, be sy?'

'Ga i siarad efo chdi, Ifan?' meddai Siân. Edrychodd ar Marc. 'Mond ni'n dau, sori, Marc.'

'O, fel 'na mae'i dallt hi, ia? We-hei...' cychwynnodd Marc, ond trodd Siân arno'n biwis.

'O, tyfa i fyny, wir Dduw!' cyfarthodd arno. Trodd a cherdded i ffwrdd cyn edrych yn ôl dros ei hysgwydd. 'Ifan? Plis?'

'Mi wnest ti ofyn am hynna, chwara teg,' meddai Ifan yn dawel, cyn codi a brysio ar ôl Siân.

9

Funudau ynghynt, y tu allan i'r siopau, roedd Ifan yn teimlo'n falch o gael bod yng nghanol criw o bobol. Gorau po fwya, cofiai feddwl.

Rŵan, fodd bynnag, roedd o'n ofni y byddai'n cael ei demtio i wneud rhywbeth ofnadwy i ba bynnag greadur neu greadures arall a ddigwyddai ddod ar ei gyfyl o a Siân.

Roedden nhw'n eistedd y tu mewn i un o standiau'r cae rygbi. Nid yr un bychan ger y parc – doedd ar yr un o'r ddau eisiau mynd yn agos at y parc a'r caeau chwarae – ond y prif gae, sef cartre tîm swyddogol y pentref. Doedden nhw ddim i fod yno, ond ar brynhawn fel heddiw doedd yr un swyddog Napoleonaidd yn debygol o ddod i'w hanfon nhw oddi yno.

Doedd Siân ddim wedi dweud gair ers iddi awgrymu eu bod nhw'n dod yma. Doedd hi ddim wedi gwenu chwaith, ac os rhywbeth roedd wedi cuchio'n ddiamynedd bob tro y mentrai Ifan geisio dechrau sgwrs. Ond fe'i daliodd hi'n ciledrych arno o bryd i'w gilydd wrth iddyn nhw gerdded, fel petai hi ar fin dweud rhywbeth ond yna'n penderfynu peidio.

Be ydw i wedi'i neud? meddyliodd Ifan. Ydw i wedi pechu yn ei herbyn hi mewn rhyw ffordd neu'i gilydd?

Ar ôl munud neu ddau o eistedd fel llo wrth ei hochr, mentrodd ddweud, 'Ocê, Siân – be sy?'

Edrychodd Siân arno. Wedi bod yn pendroni roedd hi ynglŷn â sut i gychwyn. Hefyd a oedd hi'n gwneud y peth iawn yn trafod hyn efo Ifan?

Ond roedd Ifan yn…

Yn be, Siân? gofynnodd iddi'i hun. Wel, yn gall, rywsut. Yn aeddfed. Ia, o'r gorau, roedd o'n medru ymddwyn yn ddigon hurt ar brydiau – hogyn pymtheg oed oedd o wedi'r cwbwl – ond roedd o *yn* gallach na gweddill y pennau bach ym mlwyddyn Siân. Ac yn sicr roedd mwy i Ifan nag i'r clown Marc Morris hwnnw.

Ac Ifan oedd yr un a welodd yr hogyn hwnnw yng ngardd Lois – hwnnw roedd Lois wedi'i ddisgrifio fel "rhywun sy ddim yno go iawn, ond sy jest yno".

Crynodd Siân drwyddi.

'Siân?' meddai Ifan eto. 'Be sy?'

'Lois…' cychwynnodd Siân, ond rhoddodd naid fechan wrth i Ifan ebychu'n uchel a waldio'i ddwy glun â'i ddwylo agored.

'Blydi EmAndEm!' meddai.

'Sori?'

'Ma'r boi 'na…!' Cododd Ifan ac edrych o'i gwmpas fel petai o'n disgwyl gweld Marc yn ymguddio yn rhywle ac yn gwenu fel y blwmin *Cheshire cat* honno yn *Alice In Wonderland*. Yna trodd ac edrych i lawr ar Siân. 'Yli, Siân – dwi ddim yn 'i ffansïo hi, reit? Dwi rioed wedi – onest. Dwi ddim isio mynd efo hi, felly plis paid â gofyn i mi. Os rhywbath…'

Tewodd.

'Os rhywbath… be?' gofynnodd Siân.

'Dim byd. Dwi... dwi jest ddim yn 'i ffansïo hi, ocê?' meddai Ifan.

Roedd o wedi dod o fewn trwch blewyn i ddweud wrth Siân os oedd o'n ffansïo rhywun, mai hi oedd honno ond, diolch byth, roedd ei ymennydd wedi sgrechian arno i gau ei geg. Doedd arno ddim eisiau i Siân godi a'i sgidadlu hi oddi wrtho nerth ei thraed. O leia roedd hi'n siarad efo fo ac yn amlwg yn teimlo'n ddigon cyfforddus yn ei gwmni i ddod yma efo fo, ar ei phen ei hun. Petai hi'n deall ei fod o'n ei ffansïo – ac nid rhyw hen lystio arwynebol, Marc Morrisaidd ond yn ei ffansïo go iawn – byddai Siân yn cadw draw oddi wrtho am byth, gan ei osgoi fel petai o'n un o'r creaduriaid rheiny a oedd yn arfer mynd o gwmpas y lle ers talwm yn ysgwyd clychau ac yn gweiddi 'Unclean! Unclean!'.

Roedden nhw'n ffrindiau rŵan a doedd arno ddim eisiau colli hynny. A thra oedden nhw'n ffrindiau roedd ganddo wastad ryw lygedyn o obaith am rywbeth mwy. Teimlai Ifan na fyddai bywyd yn werth ei fyw heb y llygedyn bychan hwnnw.

'Ocê, ocê,' meddai Siân, gan swnio braidd fel mam Ifan yn siarad efo'i dad pan fyddai hwnnw'n taranu'n erbyn rhyw raglen deledu neu'i gilydd. 'Ifan, dydy hynny ddim yn bwysig...' Plis paid â deud eto nad oes ots gen ti a ydw i'n ffansïo Lois Evans neu beidio, meddyliodd Ifan, neu mi a' i i ffwrdd i fod yn fynach ac ista yn yr eira ar ben mynydd yn Nhibet. 'Nid dyna be sy.'

'O?'

Eisteddodd Ifan yn ei ôl wrth ei hochr.

'Be sy, felly?' gofynnodd.

Yn ddigon eironig, cafodd Lois noson dda iawn o gwsg neithiwr.

Roedd hi wedi blino'n lân, oherwydd ar ôl i Siân adael, aeth hi a'i mam ati i ddechrau dadbacio'r holl focsys a lenwai'r stafell wely leia.

Soniodd hi ddim gair wrth Buddug am yr alwad ffôn a gafodd oddi wrth ei thad. Roedd yr hyn a ddywedodd o wrthi am y llun yn dal i droi yn ei phen…

… ac am ryw hogan yn sbecian o'r tu ôl i'r gadair, ac yn gwenu mewn ffordd ofnadwy…

… ac wrth gwrs, byddai Lois wedyn yn gorfod cyfadde ei bod wedi tynnu'r llun a'i anfon at ei thad.

Gan frifo'i mam yn ofnadwy, gwyddai – yn enwedig rwân, a hithau'n amlwg yn gwneud ymdrech go iawn i gael rhyw fath o drefn ar ei bywyd o'r diwedd. Daeth dagrau i lygaid Lois pan welodd fod Buddug wedi dod yn ôl o'r siop heb brynu gwin, gan wneud iddi'i ffieiddio'i hun yn fwy nag erioed am dynnu'r llun felltith.

Y llun, y llun…

Ond doedd dim hogan yno pan dynnais i'r llun! taerodd wrthi'i hun, drosodd a throsodd. Doedd 'run hogan ar gyfyl y lle.

Mi faswn i wedi'i gweld hi!

A diolch byth – diolch-diolch-diolch! – na welais i hi, meddyliodd.

Roedd ei ffôn yn nrôr y gegin, o'r golwg ac wedi'i ddiffodd, a theimlai Lois fel petai o wedi troi'n fom o ryw fath – oherwydd roedd y llun gwreiddiol, wrth gwrs, yn dal i fod ynddo.

Y peth calla i'w wneud fyddai dileu'r llun yn gyfan gwbwl. Ond roedd arni ofn mynd ar gyfyl ei ffôn ac roedd meddwl am ei gynnau'n gwneud iddi deimlo'n swp sâl.

Beth petai'n canu, a'i thad y pen arall efo mwy fyth o straeon erchyll?

Beth petai'n gweld rhywbeth yn y llun wrth geisio'i ddileu – rhywbeth nad oedd yno ar y pryd?

Rhywbeth na ddylai fod yno o gwbwl?

Beth petai'r llun yn gwrthod gadael iddi ei ddileu?

Crynodd. Roedd gormod o holi *beth petai*, gormod o lawer. Gwell oedd gadael y ffôn lle roedd o am y tro, wedi'i ddiffodd.

Doedd wybod beth oedd Siân Parri yn ei feddwl ohoni. Ond roedd Buddug, yn sicr, wrth ei bodd fod Siân wedi galw yno. 'Hogan glên,' meddai Buddug amdani, gan ychwanegu, 'Dwi mor falch dy fod di wedi dechra gneud ffrindia yn y lle 'ma o'r diwadd, Lois.'

Cawsant bwt o ginio, yna i fyny â nhw i gychwyn ar y bocsys. Bwriodd Buddug iddi'n wyllt, bron, fel petai hi'n lladd nadroedd; a dweud y gwir, meddyliodd Lois, bu ei mam yn aflonydd iawn ers iddi ddychwelyd o'r siop (fel roedd Siân wedi sylwi'n gynharach), ac yn llawn tensiwn.

'Welodd y dyn drws nesa rywbath?' gofynnodd Lois ar un adeg.

'Be? O… naddo, medda fo,' oedd ateb swta Buddug.

Rhoesant y chwaraeydd CD ymlaen gan ddewis disgiau bob yn ail (ond dim Lady Gaga, mynnodd Buddug – oherwydd byddai gorfod gwrando ar y gloman honno'n sicr o wneud iddi fod eisiau neidio i mewn i gasgen gyfan o win), ac yn raddol dechreuodd y ddwy ymlacio.

'Dyma pam mae stafelloedd fel hyn yn cael eu galw'n *box rooms*, mae'n rhaid,' meddai Buddug ar ôl dros awr o chwysu a chludo a'r mynydd bocsys ddim i'w weld yr un mymryn yn llai.

Y drafferth oedd eu bod wedi mudo o dŷ mawr a digonedd o le ynddo i un llawer iawn llai. Erbyn diwedd y prynhawn, doedden nhw ond wedi llwyddo i wagio oddeutu hanner y bocsys. Yna, wrth ymsythu gydag un, rhoes Buddug floedd o boen a'i ollwng.

'Be sy? 'Dach chi'n iawn…?'

'Y blwmin cefn 'ma!' griddfanodd Buddug. 'Dyna sydd i'w gael am drio gneud gormod mewn un dwrnod.'

Gwrthododd fynd i orwedd ar ei gwely. 'Falla na choda i am ddyddia,' meddai. Gyda help Lois, llwyddodd i fynd i lawr y grisiau ac ar ôl paned a dwy dabled dechreuodd deimlo'n well.

'Ond dim mwy heddiw,' meddai. 'Mi orffennwn

ni fory,' – a oedd yn newyddion da i Lois. 'Ond does wbod lle 'dan ni am roi hannar y petha rydan ni wedi'u dadbacio heddiw, heb sôn am yr holl stwff fydd gynnon ni erbyn amsar yma fory.'

'Yn yr atig?' cynigiodd Lois.

'Mmmm… rhai ohonyn nhw. Mi fydd angan mynd trwyddyn nhw i gyd. Mi fydd angan bod yn reit *ruthless*, ti'n dallt hynny? Unrhyw beth 'dan ni wirioneddol mo'i angan, bydd rhaid iddo fo fynd.'

Un dda i ddeud, meddyliodd Lois, gan fod Buddug yn waeth na neb am gasglu pethau ac yn casáu taflu unrhyw beth.

Dechreuodd y ddwy wylio'r teledu wedi iddi nosi, a'u dal ei gilydd yn pendwmpian yn ystod *The Killing*. I fyny â nhw i'w gwlâu ac aeth Lois i gysgu ymhen eiliadau ar ôl rhoi'i phen ar ei gobennydd. Chlywodd hi mo'r gwynt na'r glaw (na'r synau traed yn brysio i lawr ac i fyny'r grisiau ac ar hyd y landin, heibio i ddrws ei stafell).

Cysgodd Buddug yn syth hefyd, fwy neu lai, diolch yn bennaf i'r tabledi a lyncodd ar gyfer ei chefn. Hanner deffrodd unwaith yn ystod y nos gan feddwl iddi fedru clywed, drwy'r wal, sŵn cloch drws ffrynt Jac Bennett yn canu'n hir, fel petai rhywun yn dal bys arni.

Pwy sy'n hambygio'r creadur yr adeg yma o'r nos? meddyliodd yn ddryslyd ond yna cofiodd nad oedd arni hi eisiau meddwl am y dyn drws nesa – nid ar ôl yr hyn a ddigwyddodd rhyngddyn nhw'n gynharach heddiw.

Eto, roedd rhywbeth yng nghefn ei meddwl yn ei phigo. Rhywbeth ynglŷn â chloch y drws...

Trodd yn ei gwely ac wrth iddi lithro'n ôl i gysgu, meddyliodd iddi glywed sŵn piffian chwerthin a gallai daeru fod rhywun yn sefyll wrth y ffenest a'i gefn ati, yn sbecian allan rhwng y llenni.

Ond cyn iddi gael cyfle i agor ei llygaid yn llawn, roedd hi'n cysgu eto...

... felly welodd hi mo'r peth wrth y ffenest yn troi ac yn hercian ati, gan wyro dros ei gwely a rhythu ar ei hwyneb fel petai'n ei hastudio'n fanwl.

'Ti'n siŵr nad Lois oedd yno?' meddai Ifan. 'Neu 'i mam hi?'

Roedd y ddau wedi dweud wrth ei gilydd am yr holl bethau annifyr oedd wedi digwydd iddyn nhw dros y dyddiau diwetha – ac roedden nhw ill dau wedi profi rhyddhad mawr o fedru siarad am hyn efo rhywun na fyddai'n debygol o chwerthin am eu pennau a dweud wrthyn nhw am gallio.

'Nid Lois, yn bendant,' atebodd Siân. 'Dim ond newydd gau'r drws ffrynt roedd hi.' Meddyliodd yn ôl at y cipolwg a gafodd o'r wyneb yn ffenest y stafell wely a theimlo'r croen gŵydd yn blodeuo fel barrug dros ei chorff. Crynodd.

'W't ti'n ocê?'

O, am gael rhoi fy mraich amdani hi! meddyliodd Ifan. Ond, petai o'n gwneud hynny, ofnai y byddai Siân yn ei wthio oddi wrthi gan ddweud rhywbeth fel, 'Be ti'n feddwl ti'n neud, y sglyf?'.

'Nid ei mam hi chwaith, dwi ddim yn meddwl,' meddai Siân. 'Roedd hon yn fwy....' Rhwbiodd ei breichiau'n ffyrnig. 'Roedd rhywbeth yn bod arni, yn bell o fod yn iawn, rywsut.'

'Hon,' meddai Ifan.

'Be?'

'Hon – dyna ddeudist ti rŵan, heb feddwl. A bod 'na rywbath yn bod arni hi. Hogan welist ti, felly?'

Edrychodd Siân arno mewn syndod. 'Ma raid! Do'n i ddim wedi meddwl...' Yna cuchiodd. 'Ond... y ffigwr hwnnw welist ti... hogyn oedd hwnnw, yndê?'

'Dyna'r argraff ges i, ia,' atebodd Ifan.

'A hwnnw welodd Lois y tu allan i ffenest y gegin... a'r un welodd ei mam yn y drws.' Syllodd arno a'i llygaid yn fawr yn ei phen ac yn grwn fel soseri. 'O, Ifan... be sy'n digwydd? Oes dau yno?'

'Ajabalabajajabalajww...' meddai Ifan. Neu dyna'r cwbl y buasai wedi gallu'i ddweud petai wedi dod o hyd i'w lais: roedd ei dafod wedi magu cwlwm anferth yn ei ganol oherwydd, wrth iddi siarad, roedd Siân wedi cydio yn ei law a'i gwasgu'n dynn. Gwir, doedd dim llawer o feddwl y tu ôl i'r weithred, ac ofn oedd yn gyfrifol yn hytrach na rhamant, ond doedd affliw o ots gan Ifan. Teimlai fel un o'r hogia rheiny yn hen chwedlau Gwlad Groeg sydd, yn hollol annisgwyl, yn profi noson wyllt efo rhyw dduwies neu'i gilydd.

Llwyddodd i glirio'i wddf a datod y cwlwm yn ei dafod. 'Ma'n gneud i chdi feddwl, yn dydy?' Gwasgodd law Siân gan fygu'r demtasiwn i'w chodi at ei wefusau a chusanu bob modfedd fendigedig ohoni. 'Asu, tasa 'na rywun yma rŵan yn gwrando arnan ni, mi fasan nhw'n meddwl ein bod ni'n hollol boncyrs. W't ti'n coelio yn y petha 'ma, Siân? Mewn... ysti...'

'Ysbrydion?'

Roedd hi wedi bod yn osgoi dweud y gair – a hyd yn oed ei feddwl o – a chafodd y teimlad fod yr un peth yn wir am Ifan. Fel petai dweud y gair yn uchel yn gwneud yr holl beth yn fwy... real, rywsut.

Yn fwy real, ac eto'n fwy amhosib, yn fwy chwerthinllyd.

Ond roedd o *yn* real, meddyliodd Siân, ac yn sicr doedd o ddim yn chwerthinllyd. Nid iddi hi ac Ifan – ac yn bendant nid i Lois druan, a oedd yn gorfod rhannu tŷ efo'r blincin pethau, be bynnag oedden nhw.

Gyda'i llaw yn gynnes yn llaw Ifan – teimlad rhyfeddol o neis, hefyd, roedd yn rhaid iddi gyfadde – teimlai Siân yn fwy hyderus i drafod.

'Dwi rioed wedi coelio ynddyn nhw,' meddai'n araf. 'Wel, mond pan o'n i'n blentyn. Pan ti'n meddwl fod yna bob matha o betha'n cuddiad o dan dy wely di, ne'r tu mewn i'r wardrob. Ond ro'n i'n meddwl 'mod i wedi tyfu allan o hynny, fel ma rhywun yn rhoi'r gora i gymryd straeon tylwyth teg o ddifri.'

Gwasgodd law Ifan, a chael gwasgiad yn ôl. Ydy, ma hyn yn neis, meddyliodd, ond rywsut dydy o ddim yn ddigon mwya sydyn. Dwi isio iddo fo roi'i fraich amdana i, am f'ysgwydda i. Closiodd fymryn yn nes ato.

'Mmmm, a finna, rywbath tebyg,' meddai Ifan, a deimlai'n sicr fod Siân yn gallu clywed ei galon yn dyrnu. 'Ac ro'n i wastad wedi meddwl fod y bobol seicic 'ma – ysti, *mediums* a rhyw betha felly – ond yn *meddwl* eu bod nhw'n gallu gweld petha, mai dychmygu petha roeddan nhw, a bod pwy bynnag arall sy'n eu coelio nhw ond yn gneud hynny am eu bod nhw isio coelio mewn rhyw betha fel 'na.'

'Yn hollol...' meddai Siân, gan roi'i phen ar ei ysgwydd a llenwi ffroenau'r creadur ag arogl y shampŵ mwya hudolus a synhwyrodd Ifan erioed.

Llyncodd.

Rŵan amdani, meddyliodd, felly plis-plis-PLIS, Dduw...

Gollyngodd ei llaw a chodi'i fraich a'i rhoi am ysgwyddau Siân. Disgwyliai iddi saethu i'r awyr fel ffesant yn ffrwydro o'r llwyni... ond closiodd Siân ato'n nes fyth. Teimlodd Ifan y wên fwya hurt a wenodd yr un hogyn erioed yn goleuo'i wyneb.

Diolch-diolch-DIOLCH, Dduw...

Ymhen hir a hwyr, cliriodd ei wddf eto, 'Ffêcs ydy'r rhan fwya o'r rheiny, beth bynnag,' meddai.

'Be...? Pwy?' gofynnodd Siân.

'Ysti, y bobol sy'n eu galw'u hunain yn seicics ac yn cynnal sioeau a ballu, deud eu bod nhw'n gallu gweld gŵr rhyw greaduras o'r gynulleidfa'n hofran wrth 'i hochor hi a hwnnw wedi taro'r rhech ola ers blynyddoedd...'

'Ia, ti'n iawn.'

'Ac maen nhw i gyd yn bobol flin ar y naw, w't ti wedi sylwi?'

'Pwy – y *mediums*?'

'Ia,' meddai Ifan. 'Ma hi jest yn amhosib cael hyd i'r *happy medium* y dyddia 'ma.'

'Mmmm...'

Yna deallodd Siân.

'O... Ifan!'

Fi a 'ngheg fawr, meddyliodd. Dyna'r union beth y basa rhyw glown fel Marc Morris wedi'i ddeud...

Ond na.

Cododd Siân ei phen ac edrych arno.

Roedd hi'n chwerthin.

'Wyddost ti be?' meddai wrtho. 'Dyma'r tro cynta i mi wenu, heb sôn am chwerthin, ers i mi ddŵad o'r tŷ 'na ddoe.'

'Dwi'n dda i rywbath, felly?' meddai Ifan.

'Mi wnei di'r tro,' gwenodd Siân.

A'i gusanu.

Y tu allan i dŷ Siân, ddwy awr ogoneddus yn ddiweddarach, doedd arnyn nhw ddim eisiau gwahanu. Roedd Siân yn gyndyn o fynd i mewn i'r tŷ ac Ifan yr un mor gyndyn o ddweud ta-ta a throi am adre.

'Ymmm... ydy hyn rŵan yn golygu ein bod ni...chdi a fi, felly... ysti...' ceisiodd Ifan ofyn, yr hen smŵddi iddo.

'Ydy,' atebodd Siân.

Gwenodd y ddau. Oedden, roedden nhw wedi gwneud cryn dipyn o wenu yn ystod y ddwy awr ddiwetha. Er hynny, bob hyn a hyn, mynnai hen gysgod annifyr lithro rhyngddyn nhw.

'Dwi'n gwbod na ddylwn i ddeud hyn,' meddai Siân, 'ond alla i ddim peidio meddwl, tasa Lois a'i mam wedi mynd i fyw yn rhywla arall...'

'Wn i. Dwi ddim yn meddwl 'mod i wedi hyd yn oed sylwi ar y tŷ 'na tan chydig yn ôl,' meddai Ifan. 'Ond mae'n od fel ma pawb sy'n mynd yn agos ato fo yn... wel, fel tasan nhw'n dŵad â rhywbath o 'no efo nhw. Rw't ti a fi wedi bod yn ca'l breuddwydion cas, a dwi 'di teimlo fod rhywun yn fy nilyn i.'

'W't ti wedi'i deimlo fo pnawn 'ma?' gofynnodd Siân.

Meddyliodd Ifan. 'Wyddost ti be? Naddo, ddim o gwbwl.' Ond go brin y baswn i wedi sylwi tasa'r Dagenham Girl Pipers wedi bod yn fy nilyn i pnawn 'ma, meddai wrtho'i hun.

Cyn mynd i mewn i'w thŷ, meddai Siân, 'Alla i ddim peidio teimlo'n euog, rywsut, ynglŷn â Lois. Teimlo y dylwn i drio gneud rhywbath... ti'n dallt?'

Nodiodd Ifan. 'Ydw... ond be? Dwi ddim yn meddwl fasa Lois a'i mam yn diolch i ni tasan ni'n deud wrth bawb... ac os nad w't ti'n nabod *exorcist*...?'

Ysgydwodd Siân ei phen. 'Nac 'dw, gwaetha'r modd.'

Newydd dynnu'i chôt a'i hongian roedd hi pan ddaeth ei mam allan o'r stafell fyw.

'Gafodd hi hyd i chdi?' gofynnodd.

'Pwy?'

'Dy ffrind newydd. Lisa, ia?'

'Lisa...? O – Lois 'dach chi'n feddwl? Pam – ydy hi wedi bod yma?'

'Ydy. Mi alwodd hi yma funudau ar ôl i chdi fynd allan.'

'O... reit. Naddo, welis i mohoni hi.'

'Lle fuost ti, felly?'

'O gwmpas. Efo rhai o'r ysgol.'

Roedd ei mam yn ei llygadu'n ddrwgdybus. Weithiau, teimlai Siân fod ei mam yn debycach i waedgi na dynes gyffredin, â'r gallu i synhwyro pob cyfrinach.

'Ddeudodd hi be oedd hi'i isio?'

'Naddo. Mond deud ei bod hi am fynd i chwilio amdanat ti.'

Tybed be oedd Lois eisiau? meddyliodd Siân ar ôl dianc i ddiogelwch cymharol ei stafell. Ochneidiodd. Oedd raid i mi ufuddhau i'r mympwy hwnnw ddoe, a gweiddi ar Lois pan welais i hi'r tu allan i'w thŷ? Faswn i ddim mymryn callach am y... y pethau 'ma.

Ond wedyn, faswn i ddim wedi cael pnawn heddiw efo Ifan, sylweddolodd.

Gwenodd. Fo a'i *happy mediums*!

Tybed a ddylai hi ei ffonio i ddweud fod Lois wedi bod yn chwilio amdani?

Oedd hynny'n ddigon o esgus i'w ffonio – a hithau ond newydd ffarwelio efo fo? Fyddai'r hogyn yn meddwl ei bod hi'n dipyn o niwsans yn barod?

Wrthi'n trio penderfynu roedd hi pan ganodd ei ffôn.

Ifan, gwelodd.

Gwenodd wrth ateb... ond diflannodd ei gwên pan ddywedodd Ifan wrthi fod Marc Morris wedi cael ei ruthro i'r ysbyty.

Ar ôl cael codwm ofnadwy...

... yn nhŷ Lois Evans.

10

Dal i synfyfyrio – neu, a bod yn hollol onest – dal i bwdu dros ymadawiad Ifan efo Siân Parri roedd Marc pan ddaeth yn ymwybodol fod rhywbeth rhyngddo a'r golau. Edrychodd i fyny i weld tair o genod hŷn yn gwgu arno.

Roedd y triawd wedi hen adael yr ysgol – ac yn ôl yr hyn a gofiai Marc, roedd pawb yn yr ysgol wrth eu boddau pan adawon nhw. Doedd wybod be roedden nhw'n ei wneud y dyddiau hyn – reslo, efallai?

'Symuda,' meddai un ohonyn nhw wrth Marc.

'Sori?'

'Mi fyddi di, os na symudi di,' meddai un arall.

'Pam?'

''Dan ni isio ista fan 'na, dyna pam,' meddai'r drydedd.

Doedd Marc ddim yn hogyn mawr. Os rhywbeth, edrychai'n iau na'i oed, ac yn sicr doedd o ddim cyn daled ag Ifan. Yn wir, roedd o wedi clywed ei rieni'i hun yn cyfeirio ato fo ac Ifan fel Polyn Lein a Pheg droeon cyn heddiw. Doedd o ddim, felly, am ddadlau efo'r tair, a edrychai fel pe bydden nhw'n gwneud i T. Rex o *Jurassic Park* feddwl yn ddwys cyn tanglo efo nhw.

Cododd oddi ar sil ffenest Dreamland ac eisteddodd y tair.

Ond alla i ddim mynd heb ddeud rhywbath, meddyliodd Marc. Mae gan ddyn ei urddas a'i hunan-barch, wedi'r cwbwl. Roedd o ar ganol astudio *Macbeth* yn yr ysgol ar gyfer ei arholiadau TGAU, a'r olygfa a neidiodd i'w feddwl, wrth gwrs, oedd honno rhwng Macbeth a'r tair gwrach.

Fodd bynnag, mae gan hyd yn oed Marc Morrisiaid y byd yma ryw lygedyn o synnwyr cyffredin a phenderfynodd mai doethach fyddai iddo beidio â dweud rhywbeth fel '*How now, you secret, black and midnight hags*!' wrth y tair a oedd yn gwgu arno'n reit fygythiol.

'Ti isio llun?' chwyrnodd un ohonyn nhw arno.

Gwenodd Marc.

'Ma'n rhyfadd dy fod ti wedi deud hynna.'

'Y? Be ti'n feddwl?'

'Be ma nhw'n 'i ddeud – *every picture tells a story*, ia?'

Edrychodd y tair ar ei gilydd.

'Ti'n trio bod yn ffyni?'

'Na, na – o ddifri.' Gwnaeth Marc ffrâm gyda'i fysedd, fel petai o'n cyfansoddi llun i'r camera. 'Chi'ch tair... yn ista'r tu allan i *beauty salon* o'r enw Dreamland... sy wedi cau ers blynyddoedd. Deud y cwbwl, yn dydy?'

Cerddodd i ffwrdd gan adael y tair yn trio penderfynu a oedden nhw wedi cael eu sarhau ganddo ai peidio. Gwenodd Marc wrtho'i hun, gan deimlo'i fod o wedi cerdded i ffwrdd gyda'i urddas a'i hunan-barch wedi'r cwbwl...

… ond neidiodd â bloedd uchel pan deimlodd law yn cau am ei ysgwydd.

'Lois! Blydi hel…'

'Sori, wnes i dy ddychryn di?'

Edrychodd Marc yn nerfus i gyfeiriad Dreamland. Roedd yr un fwya o'r merched wedi codi i'w sefyll ac yn rhythu arno. Yna cododd y ddwy arall a chychwynnodd y tair amdano.

'Ma'n rhaid i mi fynd, sori, Lois, dwi ar dipyn o frys.'

'Aros, wna i mo dy gadw di'n hir…' Roedd llaw Lois ar ei fraich, yn ei gadw yno.

'Ia, ond…'

Yna, diolch i'r drefn, gwelodd Marc y tair yn troi i mewn i Spar.

Ffiw! meddyliodd gan deimlo'i hun yn ymlacio'n braf. Gwenodd ar Lois, a edrychai arno'n od wrth ei weld yn newid mor sydyn.

'W't ti'n iawn?'

'Yndw, yndw. Tshampion. Sori – oeddat ti isio rhywbath?'

'W't ti wedi gweld Siân yn rhywla?' gofynnodd Lois.

'Siân? Siân Parri?' Llithrodd gwên Marc. 'Do, fel ma'n digwydd. Mi a'th hi i rywla efo Ifan.'

'Lle?'

'A... ia, wel, dyna'r peth. Un o ddirgelion mawr bywyd. Meddylia am Bigfoot.'

'Bigfoot?'

O bawb o'r ysgol sy'n nabod Siân, meddyliodd Lois, oedd raid i mi ofyn i'r idiot hwn?

'Loch Ness Monster. Neu'r Ieti. Y Bermuda Triangle. UFOs... a rŵan, lle aeth Ifan Wyn a Siân Parri?'

'Dw't ti ddim yn gwbod, mewn geiria eraill,' meddai Lois.

'Na, sori.'

'Pa ffordd aethon nhw, ta?'

Doedd Marc ddim wedi sylwi – oherwydd ar ôl i Siân Parri arthio arno, roedd Marc wedi treulio'r munudau nesa'n gwgu.

'Sori,' meddai eto.

Ochneidiodd Lois. Roedd cefn Buddug, er ychydig yn well ar ôl y tabledi a'r cwsg a gafodd neithiwr, yn dal i fod yn rhy boenus iddi feddwl am gludo unrhyw focs i fyny i'r atig. Ond roedd cymaint ohonyn nhw allan ar y landin, roedden nhw'n beryg bywyd yno, heb sôn am wneud i'r lle edrych yn flêr ar y naw.

'Mi a' i â nhw i fyny,' cynigiodd Lois, heb fawr o frwdfrydedd.

'Wnei di mo'r ffasiwn beth!' meddai Buddug. 'Ddim ar dy ben dy hun. Be am dy ffrind?'

'Siân?'

'Ti'n meddwl fasa hi'n fodlon helpu?'

'Falla...'

Treuliodd Lois weddill y bore'n mynd trwy'r bocsys, dan oruchwyliaeth Buddug, yn penderfynu beth oedd am fynd i'r atig a beth oedd am gael aros i lawr yn y tŷ. Yn y prynhawn – a chan nad oedd rhif ffôn Sian ganddi – aeth Lois draw i'w thŷ, ond cafodd ar ddeall fod Siân allan yn rhywle.

'Trïwch y tu allan i'r siopa,' awgrymodd mam Siân. 'Maen nhw'n leicio ymgasglu yn fanno am ryw reswm.'

Ond chafodd Lois ddim lwc ger y siopau. Dim Siân, ond...

Tybed?

'Be sy...?' gofynnodd Marc, o weld Lois yn ei lygadu'n feddylgar.

Tebot o hogyn falla, meddyliodd Lois, ond tebot sydd â dwy fraich a dwy goes. A byddai Buddug yn cael ei phlesio fod "ffrind" arall gan Lois.

'W't ti'n brysur am yr awr nesa?' gofynnodd i Marc.

Ddylwn i fod wedi deud: Ydw, dwi'n brysur ofnadwy – at fy nghorn gwddw, mae gen i draethawd sy'n gorfod cael ei orffen erbyn fory, meddyliodd Marc pan welodd o'r bocsys oedd yn aros i gael eu cludo i fyny i'r atig.

Dwi'n rhy *soft*, meddyliodd. Dyna 'mhroblem i erioed. Dyna pam mae'r holl ferched ma'n cymryd mantais ohona i drwy'r amser.

Mr Nice – dyna pwy ydw i.

'Chwara teg i ti, Marc,' meddai mam Lois (a oedd wedi mynnu ei fod yn ei galw hi'n Buddug), gan roi ei llaw yn ysgafn ar ei fraich a gwenu arno â'i llygaid yn pefrio – ac wrth gwrs, buasai Marc wedi cludo'r bocsys i fyny'r Wyddfa iddi ar ôl hynny. Yn enwedig a hithau'n edrych yn weddol debyg i'r ddynes honno oedd yn actio rhan Prif Weinidog Denmarc yn y gyfres deledu *Borgen*. 'Dechreuwch chi'ch dau, ac mi wna i banad i ni'n tri,' meddai.

Trapdôr yn y nenfwd oedd yr atig. Ar ôl peth chwilio, daeth Lois o hyd i bolyn â bachyn yn sownd yn ei flaen, a thynnwyd yr ysgol i lawr mewn cawod o lwch a baw a sawl pry copyn anghynnes yr olwg.

'Oes 'na ola i fyny yna?' gofynnodd Marc.

Edrychodd Lois arno gyda golwg go lywaeth ar ei hwyneb.

'Ymmm... dwi ddim yn siŵr iawn,' meddai Lois. ''Dan ni ddim wedi bod i fyny yno cyn rŵan.'

'O... reit...'

Dyna pam yr holl lwch a'r pryfaid cop, meddyliodd Marc. Safodd y ddau am rai eiliadau'n syllu i fyny ar y twll sgwâr tywyll yn y nenfwd.

'Sori,' meddai Lois. 'Dwi newydd feddwl, falla nad oes yna lawr iawn i'r atig. Mond trawstia pren a ballu. Fydd hynny'n dda i ddim, na fydd?'

'Ddim ar gyfar bocsys fel hyn, 'swn i ddim yn meddwl,' meddai Marc. Fasa hynny'n grêt, meddyliodd. 'Wel, mi gawn ni weld rŵan. Sgen ti dortsh?'

Edrychodd Lois yn ymddiheurol. 'Dwi ddim yn... O. Oes. Y... yn y gegin, dwi'm yn ama.'

Roedd golwg od arni, sylwodd Marc. Golwg nerfus, rywsut, fel petai hi newydd sylweddoli fod y dortsh yn gorwedd mewn nythaid o bryfaid cop Black Widow.

'Ocê... mi a' i i'w nôl hi,' meddai Lois.

'Plis...' meddai Marc.

Hmmm, meddyliodd ar ôl i Lois fynd gyda chyndynrwydd amlwg. Ro'n i'n iawn – *weird*.

Edrychodd eto ar yr holl focsys. Gobeithio i'r nefoedd fod y llawr yn weddol doji, meddai wrtho'i hun. Mi fydda i wedi lladd fy hun yn cario'r rhain i gyd i fyny'r ysgol...

Clywodd rywun yn piffian chwerthin.

Meddyliodd am eiliad fod Lois wedi dod yn ôl i fyny'r grisiau heb iddo'i chlywed a'i bod wedi'i ddal yn pigo'i drwyn – tueddai Marc i wneud hynny weithiau wrth hel meddyliau, heb sylweddoli ei fod o'n gwneud – ond na, roedd y grisiau'n wag a gallai glywed Lois yn siarad efo'i mam yn y gegin. Oedd ganddi chwaer fach, tybed, ac oedd honno – efallai oherwydd ei bod yn beth bach swil – yn cuddio yn un o'r stafelloedd gwely ac yn sbecian arno drwy gil y drws?

Na, buasai Lois neu ei mam wedi cyfeirio ati cyn hyn. Os nad oedd y ddwy mor rhyfedd â'i gilydd.

'Helô?' meddai Marc.

Dim smic. Cafodd y teimlad annifyr fod y sŵn wedi dod...

... o'r twll sgwâr tywyll yn y nenfwd.

Yn araf, cododd ei wyneb ac edrych i fyny tua'r atig…

'Wneith hon y tro?'

'O!'

Neidiodd. Lois y tro hwn, a thortsh yn ei llaw.

'Y… gneith, yn tshampion.'

'Ti'n ocê?'

'Be? Yndw, yndw. Reit…' Cymerodd y dortsh oddi arni a'i chynnau, gan deimlo'n gyndyn o bwyntio'r golau i fyny i'r atig. Ond fe'i gorfododd ei hun i wneud…

… a gweld dim byd ond trawstiau a bordiau brown tywyll wedi'u gosod dan lechi'r to. A gwe pry cop a darnau bychain o lwch yn chwarae mig â'i gilydd yn y goleuni.

'Marc, w't ti'n *siŵr* dy fod ti'n iawn?' gofynnodd Lois eto.

'Yndw!' meddai'n ddigon siarp. 'Sori… yndw, tshampion. Reit – ty'd i mi weld…'

Petai o ond wedi sôn am y piffian chwerthin wrth Lois, buasai Lois wedi'i goelio ac wedi mynnu eu bod yn gwthio'r ysgol yn ôl i fyny a chau'r trapdôr. Ond does yr un hogyn pymtheg oed am gyfadde wrth ferch bymtheg oed ei fod o'n teimlo'n nerfus wrth ddringo i fyny i atig dywyll, nac oes? Yn enwedig pan fo gan yr hogyn hwnnw dortsh go bwerus yn ei law.

Felly i fyny â fo.

Wedyn, pan oedd hi'n rhy hwyr, roedd Lois yn ei melltithio'i hun am adael iddo fynd i fyny'r ysgol o gwbwl. Dylai hi fod wedi sylweddoli fod rhywbeth wedi digwydd i Marc, yma ar y landin, tra oedd hi yn y gegin yn mân siarad efo'i mam er mwyn anwybyddu'r ffôn a orweddai y tu mewn i'r drôr lle roedd y dortsh. Dylai hi fod wedi sylwi mwy ar yr olwg nerfus ar wyneb y creadur wrth iddo bwyntio'r golau i fyny at y to.

Ond wnaeth hi ddim. Yn hytrach, arhosodd wrth droed yr ysgol yn ei wylio'n dringo i fyny i'r tywyllwch yn y nenfwd.

Arhosodd Marc pan oedd ei ganol ar yr un lefel â'r trapdôr, fel bod hanner ucha ei gorff yn yr atig. Meddyliodd i ddechrau fod pryfaid cop wedi syrthio arno o'r to a'u bod yn cropian i fyny ac i lawr ei war, ond sylweddolodd mai blewiach bychain ei wallt oedd yn codi. Roedd o wedi darllen am hyn droeon ond wastad wedi cymryd nad oedd hynny'n digwydd go iawn, ac mai'r meddwl a'r dychymyg oedd yn chwarae triciau ar bobol.

Ond na, roedd yn hollol wir, sylweddolodd. Sylwodd hefyd fod ei law yn crynu ychydig wrth iddo droi'r golau mewn cylch herciog a chyndyn o gwmpas yr atig.

'Sut ma hi yna?' clywodd Lois yn gofyn o rywle dan ei draed.

'Y...' Cliriodd ei wddf. 'Llychlyd. A digon o we pry cop i... wel, i agor siop gwe pry cop.'

Ceisiodd chwerthin ond roedd y sŵn yn un go nerfus

ac mae'n rhaid fod rhywfaint o'r nerfusrwydd yn amlwg i Lois, oherwydd meddai, 'Marc – ty'd i lawr rŵan...'

Ond meddai Mr Nice, 'Na, ma'n iawn.' Roedd o wedi sgleinio'r golau rownd yr atig mewn cylch cyfan. Atig go fawr hefyd, yn ymestyn dros ddwy o'r stafelloedd gwely mwya a'r un fechan, lle roedd y bocsys. Ac roedd y llawr (rhegodd dan ei wynt) i'w weld yn solet. Gwelodd sgerbwd hen wely wedi'i dynnu'n ddarnau a'i osod yn erbyn y wal bella; pedair o gadeiriau cegin pren wedi'u storio ar ben ei gilydd mewn un gornel; pentwr o hen ddillad mewn cornel arall; tri bocs o hen lyfrau mewn trydedd cornel...

'Marc?'

'Ma 'na ddigon o le yma,' meddai. Teimlai'n well ar ôl gweld o gwmpas yr atig. Trodd ar yr ysgol gan ei godi'i hun i fyny nes ei fod yn eistedd ar ochr y trapdôr a'i goesau'n hongian i lawr. 'Sut ydan ni am neud hyn? W't ti am ddŵad i fyny a gadael i mi estyn y bocsys i chdi?' gofynnodd gan sgleinio'r golau rownd yr atig un waith eto. Gwely... bocsys llyfrau... cadeiriau cegin... oedd rhywbeth ar goll? 'Ne w't ti am i mi....'

Y pentwr o hen ddillad, sylweddolodd.

Lle roedd y rheiny wedi mynd?

Dyna pryd y clywodd y piffian chwerthin hwnnw eto, reit y tu ôl iddo'r tro hwn, a Duw a'i helpo ond trodd yn hollol reddfol gyda'r dortsh yn ei law ac yno, ond ryw fodfedd neu ddwy oddi wrth ei wyneb o, roedd wyneb arall – wyneb ofnadwy o wyn â gwên lydan, gwên faleisus a chreulon yn llawn o ddireidi milain, a chafodd gip ar geg oedd â'i thu mewn yn ddu, ddu fel y nos, a'r dannedd wedi malu...

... a chyda bloedd uchel gwingodd oddi wrth y... y... y *peth* yn yr atig gan anghofio'n llwyr ei fod o ar ysgol a byrlymu i lawr gan daro'r tu ôl i'w ben sawl gwaith yn erbyn y grisiau.

Theimlodd o mo'i goes yn torri wrth iddo gyrraedd y gwaelod: roedd y düwch wedi cau amdano erbyn hynny.

11

'Fasa gwydraid bach o win yn mynd i lawr yn dda rŵan,' meddai Buddug.

'Wel... mi fasach chi'n haeddu un,' meddai Lois. Llwyddodd, rywsut, i wenu. 'Dim ond un.'

Eisteddai'r ddwy wrth fwrdd yng nghaffi ysbyty'r dre. Drwy'r ffenest gallai Lois weld stribyn arian yn y dwyrain wrth i'r wawr ddechrau torri. Yng ngoleuadau cryfion y caffi, edrychai Buddug fel petai hi wedi llwyr ymlâdd, ei hwyneb yn llwyd a chysgodion duon o dan ei llygaid.

Dwi ddim yn edrych fawr gwell, meddyliodd Lois, yn ôl yr hyn welais i yn nrych y tŷ bach yn gynharach. Doedd hi na'i mam ddim wedi bod adre ers iddyn nhw gyrraedd yma bron i ddeuddeg awr ynghynt.

A chafodd Buddug ei rhegi i'r cymylau gan Alwena Morris, mam Marc. Be oedd ar ei phen hi, yn gadael i Marc gael y fath ddamwain? Dynes ddieithr fel hi, yn dod i'r pentref o nunlle ond i ddifetha bywydau pobol... ac yn y blaen, ac yn y blaen, ar dop ei llais.

A Buddug yn sefyll yno'n cymryd y cyfan.

Roedd rhieni Marc efo fo, y ddau'n eistedd wrth ei wely'n disgwyl – yn gweddïo – iddo ddeffro. Yn ôl y meddyg, roedd pethau'n reit obeithiol. Doedd y sgan ddim wedi dod o hyd i unrhyw niwed parhaol i'r ymennydd ond amhosib oedd bod yn hollol sicr nes i Marc ddeffro. Roedd ei ymennydd os rhywbeth yn gweithio fel coblyn – '*... a great deal of activity going on in there*,' meddai'r meddyg.

Roedd hynny'n arwydd da, yn doedd? Oedd, siŵr, meddai Lois wrthi'i hun. Mi fydd o'n iawn, mi fydd o'n iawn.

Ond yr hyn a welodd Lois yn nrych y tŷ bach oedd y ferch wynepwyn honno yn y darlun gan Edvard Munch, a'i cheg yn agored wrth iddi sgrechian a neb yn ei chlywed.

Doedd ganddi ddim amheuaeth – roedd Marc wedi gweld rhywbeth yn yr atig.

Rhywbeth a'i dychrynodd am ei fywyd.

Ond beth?

Dechreuodd Lois grynu. 'Mam...' meddai.

Edrychodd Buddug arni.

'Dwi ddim isio mynd yn ôl yno, Mam. Dwi ddim isio mynd yn ôl i'r tŷ.'

Roedd y dagrau'n powlio i lawr ei hwyneb wrth i Buddug sgrialu dros y bwrdd am ei llaw a'i gwasgu'n dynn.

A daeth y cyfan allan.

Erbyn bore Llun roedd bron pawb o'r pentref wedi clywed am ddamwain Marc Morris – ond doedd neb fel petaen nhw'n gwybod y manylion. Pwy well i'w holi ynglŷn â'r *juicy bits*, meddyliodd Laura Tomos, na'r dyn a oedd yn byw drws nesa? Siawns fod hyd yn oed Jac Bennett wedi cymryd diddordeb yn hyn.

Draw â hi i Heol y Parc yn fuan ar ôl brecwast. Gwelodd yn syth nad oedd car y "ddynes newydd" wedi'i barcio yn ei le arferol y tu allan i'r tŷ. Tybed a oedd hynny'n arwyddocaol? Gyda lwc, câi wybod yn fuan.

Curodd wrth ddrws Jac Bennett. Mae'n hen bryd i'r bwbach diog gael cloch newydd, meddyliodd, dwi wedi deud a deud wrtho fo, ond dydy o ddim yn cymryd dim sylw.

Nac yn cymryd dim sylw o guro Laura chwaith. Felly curodd eto, yn uwch y tro hwn, a chlac-clacio'r blwch llythyron.

Dim ateb.

Gwyrodd nes bod ei cheg bron iawn yn cusanu'r blwch llythron. 'Jac?' gwaeddodd trwyddo. 'Jaco!'

Ymsythodd. Dydy plygu fel hyn ddim yn hawdd iawn y dyddia yma, meddyliodd.

Ble oedd y lembo?

Curodd Laura eto. Ac eto. A chlac-clacio.

Efallai ei fod o wedi mynd allan. Ochneidiodd Laura. Pam na feddyliais i am hynny y tro cynta? melltithiodd. Rŵan ma'n rhaid i mi blygu eto. Gwyddai fod hoff gôt Jac Bennett yn arfer hongian yn y cyntedd, ynghyd â'i gap stabal, ac os oedd y rheiny yno, roedd Jac yno yn rhywle hefyd.

Os nad oedd y diogyn yn dal yn ei wely, wrth gwrs. Na, go brin; fu Jac erioed yn un am orweddian yn ei wely, hyd yn oed pan oedd ar ei wyliau. Cofiai fel yr arferai Brenda druan gwyno am hyn, gan ddweud, tasa ganddyn nhw geiliog, y basa hwnnw'n cwyno fod Jac yn ei ddeffro'n rhy gynnar bob bore.

Ond os oedd o yn ei wely, rhaid ei fod o'n sâl. Dechreuodd Laura boeni wrth wyro eilwaith am y blwch llythyron. Er ei fod o'n gallu bod yn ddyn digon rhyfedd ar adegau – yn enwedig yn ddiweddar! – byddai'r hen fyd 'ma'n un digon di-liw hebddo fo.

Iddi hi, beth bynnag.

Gwthiodd dafod y blwch llythyron i mewn a chraffu. Oedd, roedd ei gôt o yno. A'i gap.

Ymsythodd Laura eto. Roedd hi'n poeni go iawn erbyn hyn. 'Jac? Jac!' gwaeddodd, a waldio'r drws nes ei fod yn jerian.

Dim ateb.

Wel, doedd ganddi ddim dewis felly, nac oedd? Gwyddai fod Jac yn casáu iddi wneud hyn, ond os nad oedd o am agor y drws, os nad oedd o'n gallu agor y drws...

Agorodd Laura ei bag – ei bag mawr, a theimlodd y dagrau'n crafu'i llygaid wrth iddi feddwl am fel y byddai Jac yn ei phryfocio am ei bagiau llaw anferth. Roedden nhw fel y bag hwnnw oedd gan Mary Poppins, meddai wrthi, ac roedd o'n hanner disgwyl ei gweld hi'n tynnu lamp fawr a pholi parot mewn caets allan ohono...

O'r diwedd, daeth o hyd i allwedd tŷ Jac yn un o'r pocedi bychain y tu mewn i'w bag. Sylwodd fod ei llaw'n crynu wrth iddi anelu am y twll clo a gorfu iddi drio sawl gwaith cyn llwyddo i wthio'r allwedd i mewn.

Agorodd y drws.

'Jac? Jaco… Laura sy 'ma.'

Dim smic.

O'r nefoedd fawr, meddyliodd, plis na.

'Jac! Dwi'n dŵad i mewn, iawn?'

Doedd dim golwg ohono yn y gegin nac yn y stafell molchi.

Brathodd ei phen yn nerfus i mewn i'r stafell fyw gan feddwl yn siŵr y byddai'n ei weld o yno yn ei gadair, wedi marw.

Ond na.

'Jac?'

Petrusodd Laura wrth droed y grisiau. Rhoddai'r byd am ei glywed yn symud o gwmpas yn un o'r llofftydd uwch ei phen.

Ond ni chlywai hi'r un siw na miw. Roedd y tŷ yn hollol dawel.

Mor dawel â'r…

Na!

Gan deimlo'n swp sâl erbyn hyn, dringodd Laura Tomos y grisiau. Petrusodd eto, y tu allan i ddrws stafell wely Jac. Petai o'n gilagored, meddyliodd, mi fedrwn i gael sbec sydyn i mewn, mond digon i weld ydy o'n iawn ai peidio.

Ond roedd y drws ynghau. Curodd Laura'n ysgafn ar y pren.

'Jac?' meddai eto fyth.

Trodd yr handlen a gwthio'r drws ar agor…

… ac ebychu'n uchel, heb sylweddoli ei bod yn dal ei hanadl, pan welodd fod y gwely'n wag.

Ond roedd Jac wedi bod ynddo fo, roedd hynny'n amlwg oddi wrth y dillad blêr. Doedd hyn ddim fel Jac Bennett: y peth cynta a wnâi ar ôl codi bob bore oedd tacluso'i wely.

'O, Jac – lle w't ti'r mwngral?' ochneidiodd Laura.

Trodd yn y drws – a sylwi fod rhywbeth arall yn wahanol fore heddiw. Roedd drws y stafell wely yr arferai Jac ei rhannu gyda Brenda ar gau.

Caeodd Laura'i llygaid, gan sylweddoli'n sydyn lle roedd Jac. Doedd o ddim wedi defnyddio'r stafell hon ers i Brenda farw: roedd yr atgofion yn ormod iddo, cyfaddefodd wrth Laura un diwrnod, fel yr oedd deffro yn y bore a sylweddoli nad oedd Brenda efo fo mwyach, yno wrth ei ochor.

Ond doedd drws y stafell hon byth – *byth* – ar gau ganddo.

Tan heddiw.

O'r nefi wen….

Trodd Laura'r handlen a gwthio'r drws ar agor.

Edrychodd i mewn…

… a dechrau sgrechian.

… ar union yr un eiliad ag y dechreuodd Marc Morris sgrechian. Yn ei gwsg, yn ei wely yn yr ysbyty ac yn hollol ddirybudd, gan beri i'w rieni neidio allan o'u crwyn a'u dychryn yn ddifrifol – y nhw a phawb arall o fewn clyw, oherwydd doedd neb wedi clywed y ffasiwn sgrechian o'r blaen.

Erioed, yn eu bywydau.

Gwingodd ar ei wely fel petai'n gwneud ei orau i ffoi oddi wrth rywbeth, o un ochr i'r gwely i'r llall, mor ffyrnig nes i'w dad orfod gorwedd arno a defnyddio'i holl nerth a'i bwysau i gadw Marc rhag gwingo oddi ar y gwely. Mae'n rhaid fod ei goes yn brifo'n ofnadwy ond nid dyna pam roedd o'n sgrechian.

Nid sgrechian mewn poen roedd Marc Morris ond sgrechian mewn ofn.

Rhuthrodd y meddyg a dwy nyrs i mewn i'r stafell a gorfu iddo gael pigiad gan y meddyg cyn iddo lonyddu a thawelu. Roedd pa bynnag gyffur oedd yn y chwystrelliad wedi llwyddo i fygu'r hunlle a barodd iddo sgrechian mor ddirdynnol, ei fygu dan gwmwl o felfed du, a chysgodd Marc Morris yn dawel yn ei ôl.

Am ychydig.

Roedd digon o amynedd gan yr hunlle. A digon o amser. Cyn bo hir byddai'r cwmwl melfed yn teneuo a diflannu, a phan ddigwyddai hynny, byddai'r freuddwyd yno yn ei le, yn bwydo ar y sgrechian, yn gwledda ar yr ofn.

Yn y freuddwyd, roedd Marc yn ei ôl yn yr atig ac yn sgleinio golau'r dortsh mewn cylch o gwmpas y trawstiau a'r bordiau, drwy'r llwch a'r gwe pry cop. Dros yr hen wely, y cadeiriau pren, y pentwr dillad yn y gornel dywyll, y bocsys llyfrau... yna'n ôl dros y bocsys llyfrau, y cadeiriau pren a'r hen wely haearn... ond roedd rhywbeth ar goll! Beth oedd ar goll? Beth?

O Dduw mawr, y pentwr dillad...

... ac roedd hwnnw wedi eistedd i fyny yn y gornel dywyll gan biffian chwerthin wrth symud yn nes ac yn nes at Marc. A'r peth gwaetha i gyd, y peth mwya uffernol, oedd hyn:

Nid breuddwydio oedd Marc – ond cofio.

Cofio, ac ail-fyw.

Welodd Lois ddim o hyn, wrth gwrs: roedd hi wrth droed yr ysgol a digwyddodd y cwbwl o'i golwg hi.

Ond pan symudodd y pentwr dillad o'r gornel dywyll, gan ddangos ei hwyneb i Marc, rhuthrodd amdano...

... a lapio'i breichiau am ei wddf.

O fewn llai na diwrnod, gyrrodd ambiwlans arall o Heol y Parc.

Ond doedd dim brys ar hon.

A phetaech chi wedi bod yn un o'r rhai a'i gwyliodd hi'n mynd, efallai y buasech wedi sylwi fod wynebau'r criw ambiwlans yn llwyd, a golwg wedi'u dychryn arnyn nhw. Cofiwch fod y bobol hyn wedi gweld pethau ofnadwy dros y blynyddoedd, pethau a fyddai'n rhoi hunlle ar ôl hunlle i chi a fi.

Ond welon nhw erioed dim byd tebyg i Jac Bennett o'r blaen.

'Ei wynab o...' meddai Laura Tomos, drosodd a throsodd wrth ei ffrind, Katie Morgan. 'Ei wynab druan o... Ma'n rhaid fod meddwl y creadur bach wedi'i adael o'n llwyr, iddo gael y ffasiwn freuddwydion.'

'Roeddan nhw'n fyw iawn iddo fo, ma'n rhaid,' meddai Katie. 'Ond Laura fach – tria di beidio â meddwl amdano fo rŵan.'

'Alla i ddim peidio,' meddai Laura. 'Mi fydd 'i wynab o'n aros efo fi am weddill 'y mywyd, Katie – wir i chdi. Welis i rioed y ffasiwn... y ffasiwn ofn ar wynab neb. A'i freichia fo'n dal allan, ac i fyny, er bod 'i galon o wedi hen lonyddu – fel tasa fo'n trio gwthio rhywun oddi wrtho fo, hyd yn oed ar ôl iddo fo farw.'

Yn ôl adroddiadau'r heddlu, doedd dim arwydd fod rhywun wedi torri i mewn i'r tŷ, na'r un arwydd fod neb arall wedi bod i'r tŷ heblaw Jac Bennett ei hun (a Laura drannoeth, wrth gwrs).

Ond weithiau, mae'n rhaid gofyn – be mae'r heddlu'n ei wybod, yntê?

Roedd cloch drws Jac wedi canu am 01.17, yn ôl y cloc larwm. Er bod Jac wedi dadgysylltu'r gwifrau, a phan fethodd hynny â'i thewi, wedi ei malu efo morthwyl, canodd y gloch am 01.17 – yn uchel drwy'r tŷ, un caniad hir a diddiwedd, bron, fel petai rhywun y tu allan yn gwasgu'i fys i lawr ar y gloch a'i gadw yno.

Aeth Jac at y ffenest ac edrych allan ac i lawr, ond doedd neb i'w weld yno.

Ond roedd rhywun yn canu'r gloch.

A gwyddai Jac pwy oedd o.

Aeth allan ar y landin ac edrych i lawr, a'i weld o drwy wydr y drws yn sefyll yno ar garreg y drws a'r hen hwd hwnnw dros ei ben, dros ei wyneb.

Caeodd Jac ei lygaid a pheidiodd y gloch yn ddirybudd. Fel arfer, pan ddigwyddai hyn a phan ailagorai Jac ei lygaid, roedd yr Hwdi wedi mynd, wedi llithro i ffwrdd am y tro i rywle oer a thywyll.

Fel arfer.

Ond nid heno.

Heno, pan agorodd Jac ei lygaid, roedd yr Hwdi'n sefyll wrth droed y grisiau, mewn goleuni a oedd yn gymysgedd o olau'r lleuad a lampau oren y stryd, ei ddwylo yn ei boced a'i ben i lawr, fel petai o'n syllu ar ei draed.

Yna, yn ara, dechreuodd yr Hwdi godi'i ben.

Clywodd Jac Bennett sŵn rhywun yn igian crio a sylweddoli mai fo'i hun oedd yn gwneud y sŵn. Trodd ei ben yn sydyn – y peth ola roedd arno'i eisiau oedd gweld wyneb yr Hwdi.

Wysg ei gefn, baglodd Jac yn ei ôl ar hyd y landin. Teimlodd ddrws cilagored ei hen stafell wely o a Brenda'n ildio'r tu ôl i'w gefn. Yna roedd o ar y gwely, eu hen wely nhw, yn sgrialu'n ôl nes i'r tu ôl i'w ben daro'n galed yn erbyn y pared, wrth i'r Hwdi ymddangos yn y drws.

'Na...' clywodd ei lais ei hun yn dweud o rywle. 'Na...'

Ond roedd yr Hwdi'n sefyll uwch ei ben ac yn gwyro drosto. Teimlodd Jac ei bledren a'i berfeddion yn agor ar yr un pryd wrth iddo geisio gwthio'r *peth* uffernol oddi wrtho. Roedd yr hwd yn dal i'w guddio, a dim byd ond düwch i'w weld y tu mewn iddo.

Yna tynnodd yr Hwdi ddwy grafanc ddu, esgyrnog o'i bocedi a'u defnyddio i dynnu'r hwd yn ôl oddi ar ei ben – a dangos ei wyneb i Jac Bennett.

12

Canol mis Rhagfyr.

Prynhawn Sul, rhwng tri o'r gloch a hanner awr wedi tri.

Glaw mân eto fyth, a hwnnw'n oer fel blaenau bysedd hen, hen bobol. Nadolig gwyn eleni, bobol? Na, go brin, nid yn y pentref hwn. Nadolig llwyd. Llwyd a llaith. Tywydd annwyd a ffliw.

Roedd wythnos reit dda ers i'r arwydd AR WERTH ymddangos yng ngardd ffrynt y tŷ ar y gornel yn Heol y Parc, hwnnw sydd fwy neu lai'n union gyferbyn â'r lloches fysus. Ychydig iawn a welwyd ar y bobol oedd biau'r tŷ – y fam a'r ferch na fuon nhw'n byw yno'n hwy nag ychydig wythnosau. Dim ond ambell gip bob hyn a hyn wrth iddyn nhw lwytho faniau wedi'u llogi â dodrefn a bocsys di-ri.

Doedden nhw byth yma dros nos y dyddiau hyn.

Brynhawn heddiw, nid fan oedd y tu allan i'r tŷ, ond car Fiesta cyfarwydd: roedden nhw bron â gorffen mudo i ble bynnag roedden nhw'n byw, y fam a'r ferch, a dim ond llond bŵt a sedd gefn oedd ganddyn nhw ar ôl. Manion bethau, dyna'r cwbwl.

Ta-ta fyddai hi wedyn. Ta-ta am byth.

Gyda lwc...

Safai Siân ac Ifan y tu mewn i'r lloches fysus, yn syllu dros y ffordd ar y tŷ gyferbyn.

'Be sy'n digwydd efo'r tŷ drws nesa, w't ti 'di clywad?' gofynnodd Ifan. 'Tŷ Jac Bennett.'

Doedd dim plant gan Jac; yn ei ewyllys, gadawodd bopeth i Laura Tomos, heblaw am ychydig o arian i'r British Legion.

'Ma hi am aros tan y gwanwyn, medda hi, cyn penderfynu be i'w neud efo'r tŷ,' atebodd Siân. Edrychodd i fyny ar Ifan. 'Dydy hi ddim yn barod eto, sti.'

'Nac 'di, decini.' Gwasgodd Ifan ei llaw ac amneidio i gyfeiriad y tŷ ar y gornel. 'Heddiw amdani felly, ti'n meddwl?'

'Ma rhywbath yn deud wrtha i na chawn ni gyfla arall. A ddaw Lois ddim ar gyfyl yr ysgol eto, ma hynny'n saff, ddim ar ôl... ysti...'

'Marc.' Gwasgodd Ifan ei llaw eto. 'Mae'n ocê, mi gei di ddeud 'i enw fo.' Ceisiodd swnio'n bositif. 'Roedd o rywfaint yn well ddoe, ddeudis i wrthot ti?'

'Do. Grêt, yndê?'

Ond fydd o byth 'run fath eto, meddyliodd Siân.

'Ifan,' meddai. 'Jest gafael yn'a i am funud, 'nei di? Plis?'

Llanwyd ffroenau Ifan ag arogl ei shampŵ wrth iddo'i chofleidio'n dynn. Cofiai fel roedd ei galon wedi carlamu'r tro cynta iddo synhwyro'i gwallt fel hyn. Faint oedd ers hynny? Pythefnos? Ai dyna'r cwbwl? Dduw mawr... roedd yn teimlo fel oes yn ôl.

'Siân – sdim rhaid i ni, sti, os nad w't ti isio.'

Cododd Siân ei phen. Cusanodd o'n sydyn ar ei wefusau a chamu'n ôl o'i freichiau.

'Oes, Ifan. Sgynnon ni ddim dewis, ti'n gwbod hynny.'

Edrychai Ifan fel petai o am ddadlau, ond yn lle hynny ochneidiodd, a nodio.

'Nac oes, mwn,' meddai. 'A, wel…'

Law yn llaw, croesodd y ddau'r ffordd at y tŷ.

'Dydach chi'm yn gall.'

Edrychodd Buddug o un i'r llall, ac yn ôl wedyn.

'Ma'n rhaid i ni drio,' meddai Siân.

Roedd Buddug a Lois bron iawn yn barod i fynd. Lois atebodd y drws, wedi adnabod eu siapiau drwy'r gwydr. Eisteddai wrth ymyl ei mam ar glustogau ar y llawr: roedd y dodrefn i gyd wedi'i gludo oddi yno. Doedd hi ddim wedi dweud gair ers iddyn nhw gyrraedd ac eisteddai'n syllu i lawr ar ei dwylo wedi'u plethu yn ei glin.

'Oes? Pam?' meddai Buddug, a rhythodd Siân arni.

'Pam?'

'Ia. Be ydy'r pwynt? Ma'r petha yma, ac yma fyddan nhw rŵan, yndê? Dwn i'm be 'dach chi'n feddwl y gallwch chi'ch dau 'i neud.'

Sylwodd Ifan fod gan Buddug olion crafiadau ar ei

boch chwith a'i thalcen. Allan ym maes parcio'r ysbyty, roedd Alwena Morris, mam Marc, wedi ymosod arni â'i hewinedd. Yn ôl yr hyn a glywodd Ifan, doedd wybod faint o ddifrod fuasai Alwena wedi'i wneud iddi pe na bai tad Marc wedi codi'i wraig a'i chario i ffwrdd, yn cicio ac yn rhegi.

Deallodd fod Buddug wedi sefyll yno'n llonydd gan adael i Alwena ei hanafu.

'Rydan ni'n gwbod pwy ydyn nhw rŵan,' meddai Siân. 'A be ddigwyddodd iddyn nhw...'

Ond roedd Buddug yn ysgwyd ei phen yn ffyrnig. 'Dwi ddim isio gwbod.'

'Mi ydw i,' meddai Lois, y geiriau cynta iddi eu dweud ers i Ifan a Siân gyrraedd.

'Nac w't, dw't ti ddim.'

Cododd Buddug i'w sefyll gan gau sip ei chôt. Nodiodd tua'r drws.

'Ma'n well i chi fynd rŵan, dwi'n meddwl,' meddai wrth Ifan a Siân. ''Dan ni isio'i chychwyn hi cyn iddi d'wyllu.'

'Isio mynd o 'ma cyn iddi d'wyllu, ia? O'r tŷ?' meddai Ifan.

'Os leici di, boi, ia! Hapus?'

'Mam...'

'Be, Lois?'

'Dwi ddim yn dŵad.'

'Be?'

'Ddim... ddim rŵan.'

'O, paid â bod mor…'

'Nac 'dw, Mam.' Edrychodd Lois ar Siân, yna ar Ifan. 'Dwi isio clywad.'

Ochneidiodd Buddug yn uchel. Arhosodd wrth y drws, yn bictiwr o ddiffyg amynedd. Anwybyddodd Lois hi.

'Siân?'

A dechreuodd Siân adrodd y stori a glywodd gan Laura Tomos.

Roedden nhw wedi mynd i gydymdeimlo â'r ddynes y bu Siân yn ei galw'n "Anti Laura" ers pan oedd Siân yn ddim o beth. Cytunodd hi ac Ifan na fydden nhw'n sôn gair fod Jac wedi bygwth Ifan y diwrnod hwnnw, ar ôl ei gamgymryd am y ffigwr mewn hwdi.

Ond yn ystod y sgwrs, dywedodd Laura, 'Ma'n rhaid deud, doedd Jac ddim yr un fath ers iddo gael yr hen helynt hwnnw efo'r criw o iobs ifanc. Ma'n dda gen i weld nad w't ti'n rhyw sbesimen fel y rheiny, Ifan.'

'Wel… dwi'n trio peidio, yndê.'

'Pryd oedd hyn, Anti Laura?'

'O, rw't ti'n rhy ifanc i gofio. Tua deng mlynadd yn ôl, dwi'n siŵr. Ia – newydd golli Brenda druan roedd Jac, felly doedd 'i dempar o ddim yr hyn y dyla fo wedi bod.'

Cymerodd Laura lwnc o'i the cyn mynd yn ei blaen.

‘Roedd ’na griw ohonyn nhw’n arfar hel yn y *bus shelter* sy gyferbyn â thŷ Jac. Roedd pawb yn ei deud hi amdanyn nhw – roeddan nhw yno bob nos, yn cadw reiat ac yn chwara’r hen rwtsh bwm-bwm-bwm ’na. Dros y lle.’

Ysgydwodd Laura’i phen mewn dirmyg. ‘Ma chwith ar ôl yr hen Ricky Valance, coeliwch chi fi. Ta waeth – falla bod yna rywfaint o fai ar Jac am eu tynnu nhw i’w ben. Ymhen hir a hwyr, mi fasan nhw wedi blino a symud i rywla arall i gadw reiat, ond fuodd Jac Bennett erioed yn un am gymryd lol. Dwi’n cofio fel roedd o yn y Legion ers talwm – doedd wiw i neb gamfihafio yno – fasa Jac wedi rhoi pymthag tro i un i unrhyw un, dim ots pa mor fawr fasan nhw.’

Crwydrodd meddwl Laura’n ôl i 1960 ac edrychodd Ifan a Siân ar ei gilydd.

‘Pwy oeddan nhw, Anti Laura?’ gofynnodd Siân.

‘Be? O – pobol ifanc o’r pentra ’ma, ro’n i’n nabod amryw ohonyn nhw. Ma nhw i gyd wedi hen fynd o ’ma bellach – fel y byddwch chi’ch dau ymhen rhyw flwyddyn ne ddwy, decini. A dwi ddim yn ama, mi fasa’r rhan fwya ohonyn nhw wedi gwrando ar Jac. Ond, yn anffodus, roedd ’na ddrwg yn y caws. Dau ddrwg yn y caws, fel ma’n digwydd – ac un ohonyn nhw oedd yr hogan oedd yn arfar byw drws nesa i Jac.’

Cododd Laura i ail-lenwi’r tegell, felly welodd hi mo’r naid a roes Ifan na’r ffaith fod Siân wedi colli’i lliw.

‘Y… pwy oedd hi, felly?’ holodd Ifan.

'Hen hogan fach atgas oedd hi,' meddai Laura. 'Wedi ca'l ei difetha'n rhacs. Roedd 'i thad a'i mam hi mewn dipyn o oed yn ei chael hi, ac erbyn iddi hi gyrraedd yr oed 'dach chi rŵan, doedd ganddyn nhw ddim rheolaeth drosti hi.'

'Be oedd 'i henw hi?' gofynnodd Siân.

'Www, gad i mi feddwl... rhywbath go wahanol. Charmaine? Naci... gwitshia... Shana, 'na fo. Shana Davies. Ac mi gymrodd hi yn erbyn Jac druan yn y modd mwya ofnadwy – er ei bod hi'n arfar byw a bod drws nesa efo fo a Brenda pan oedd hi'n fach. Hi oedd y tu ôl i'r holl hambygio gafodd Jac ganddyn nhw – roeddan nhw'n greulon iawn efo fo, yn stwffio pob matha o rwtsh drw'i ddrws o, petha digon afiach hefyd. Ddeuda i ddim be'n union, dwi'n siŵr y gallwch chi ddychmygu. A thân gwyllt, dwi'n cofio. A chanu cloch ei ddrws ffrynt o – dyna un o dricia'r hen hogyn hwnnw. Dal 'i fys i lawr ar y gloch am hydoedd.'

'Pwy oedd o?' gofynnodd Ifan.

'*Be* oedd o, ti'n feddwl, Ifan. Cythral mewn croen, dyna be. Declan rhywbath-ne'i-gilydd.'

'Gwyddal oedd o?'

'Na, un o'r pentra 'ma. Cymro. Fo oedd cariad Shana, ac yn llawn ohono'i hun. Roedd o wastad yn gwisgo'r hen betha 'ma efo hwds arnyn nhw, efo'i wynab o'r golwg. Ond doedd yr hwd fawr o help iddo fo pan ddechreuodd Jac Bennett ddefnyddio'i ddwrn efo fo.

'Roedd Jac wedi bod allan atyn nhw droeon – doedd dim ofn neb arno fo. Ac roedd o 'di cwyno wrth dad a mam yr hogan drws nesa. Doedd 'na fawr o Gymraeg rhyngddyn nhw erbyn y diwadd. Ac mi dda'th y diwadd un noson, tua'r adag yma o'r flwyddyn. Mi gollodd Jac 'i limpin a rhoi coblyn o gweir i'r hogyn nes ei fod o'n crio ar lawr y *bus shelter* 'na.

'Crio, cofiwch. O flaen 'i grônis i gyd – a cha'l ei guro gan ddyn oedd yn ddigon hen i fod yn daid iddo fo. Ac ar ôl hynny, mi a'th petha'n flêr. Mi gafodd Jac lonydd am chydig o nosweithia, ond yna mi dda'th y Declan 'ma yn ei ôl, a be na'th o, y lembo dwl, fo a'r hogan, ond dwyn car Jac o'r tu allan i'r tŷ. Lle roeddan nhw am fynd, doedd wbod. Ond aethon nhw ddim yn bell. Tua hannar ffordd i lawr Allt Fawr, yn gyrru fel ffŵl yn ôl y plismyn, mi a'th o drw'r wal ac i lawr y dibyn. Mi gafodd hi, Shana, 'i thaflu allan drw'r ffenast flaen – doedd hi ddim yn gwisgo'r gwregys, mi allwch fentro, ac mi dorrodd hi'i gwddw – ond roedd o'n sownd y tu ôl i'r olwyn. Mi losgodd o i farwolaeth yn y car. Pymthag oed, y ddau ohonyn nhw.'

Roedd y tegell wedi hen ferwi wrth i Laura adrodd yr hanes. Cododd i'w ailgynnau.

'Be ddigwyddodd i'w teuluoedd nhw?' gofynnodd Siân.

'O, mi symudodd ei deulu o o 'ma'n fuan wedyn. Mi arhosodd ei thad a'i mam hi yn y tŷ am chydig o flynyddoedd, nes i un ohonyn nhw gael pres ar ôl rhyw berthynas. Mi aethon nhw wedyn, ac mi fu'r tŷ'n sefyll yn wag am hydoedd tan… wel, tan yn ddiweddar iawn. A dwi'n meddwl eu bod nhw'n reit falch o gael 'madal ohono fo, 'chos mi werthon nhw fo i'r ddynas 'na am y nesa peth i ddim.'

Tawelwch.

Yn ystod y stori, roedd Buddug wedi symud o'r drws yn ei hôl at Lois, ac eisteddai â'i braich am ei hysgwyddau. Roedd Lois yn crio'n dawel.

Cliriodd Buddug ei gwddf o'r diwedd. 'Felly,' meddai, 'maen nhw yma ers deng mlynadd. Yn dal yma.'

'Ydyn,' meddai Siân. 'Un tu mewn, a'r llall y tu allan. A dwi'n meddwl...' Edrychodd ar Ifan a gwasgu'i fraich. 'Rydan ni'n meddwl mai dyna'r broblam.'

'Sori?'

'Yn ôl be ddeudodd Anti Laura, doedd tad a mam Shana ddim wrth eu bodda efo Declan – isio rhywun gwell i'w hogan fach nhw – a chafodd o ddim dŵad i mewn i'r tŷ ati hi.'

Syllodd Buddug arnyn nhw'n gegrwth. 'A 'dach chi'n meddwl...?' Chwarddodd yn uchel. 'Argol fawr – *love's young dream*!'

Gwgodd Ifan arni. Dwi ddim yn leicio'r ddynas yma rhyw lawer, meddyliodd. Ro'n i wedi cymryd yn 'i herbyn hi am adael i Marc frifo fel 'na, ond ar ôl 'i chyfarfod hi, dwi'n ei leicio hi'n llai fyth.

'Gadwch i mi weld ydw i wedi dallt yn iawn – 'dach chi'n meddwl, tasan ni'n agor y drws i'r... i'r *peth* 'na heno, y basa'r ddau ohonyn nhw'n mynd i ffwrdd law yn llaw i beth bynnag sy 'na'n aros amdanon ni i gyd?'

'Falla...' meddai Siân, ei hwyneb yn goch.

'Ia – a falla ddim,' meddai Buddug. 'Ac os hynny, mi fydd yna ddau o'r petha yn y tŷ! Pa obaith fydd gen i o'i werthu fo wedyn?'

'Hisht!' meddai Lois yn sydyn.

'Be?'

'Mi glywis i rywbath... i fyny yn 'ych llofft chi.' Edrychodd o un wyneb i'r llall. 'Ac ma hi wedi oeri'n ofnadwy yma, 'dach chi ddim yn meddwl? Ylwch...'

Pwyntiodd at ei cheg: roedd cwmwl bach yn dod ohono wrth i Lois anadlu.

'Maen nhw yma,' meddai Lois.

Cododd cyn i'w mam fedru ei rhwystro.

'Lois – lle ti'n mynd?' Bustachodd Buddug i'w thraed.

'Maen nhw yma!' meddai Lois eto. Aeth at y drws ac edrych i gyfeiriad y drws ffrynt.

Rhewodd.

'Lois?'

Edrychodd Lois yn ôl ar ei mam.

A gwenodd.

Yna trodd i ffwrdd a rhuthro am y drws ffrynt.

'Lois!' gwaeddodd Buddug. 'Lois, paid ag agor y drws!'

Rhuthrodd Buddug ar ôl Lois, a chyrhaeddodd Ifan a Siân mewn pryd i weld Buddug yn cydio yn Lois gerfydd ei hysgwyddau a dechrau ei llusgo'n ôl oddi wrth y drws.

Ond roedd hi'n rhy hwyr. Wrth iddi gael ei llusgo yn ei hôl gan ei mam, daeth Lois â'r drws gyda hi.

'Declan!' galwodd allan i'r nos.

A rhuthrodd y nos i mewn i'r tŷ. Cydiodd Siân yn dynn ym mraich Ifan a chladdu'i hwyneb yn ei gôt wrth i rywbeth mawr, tywyll fyrlymu heibio iddyn nhw, gan lenwi eu ffroenau â'r drewdod mwya ofnadwy nes bod y ddau bron iawn â chyfogi. Cymysgedd o arogl llosgi a drewdod hen gig yn pydru, fel sydd i'w arogli'n codi o ambell fin sbwriel yn yr haf.

Setlodd y düwch fel mantell afiach dros Buddug a Lois, ill dwy'n gorwedd ar lawr y cyntedd a'u hwynebau wedi'u gwasgu i mewn i'r carped tenau, rhad, Buddug â'i braich am ysgwyddau Lois. Ac am ennyd gallai Ifan fod wedi taeru iddo weld y düwch yn llifo drostyn nhw fel hen driog, neu'r llysnafedd o ddyfnderoedd hen, hen garthffos.

O ben y grisiau deuai sŵn drysau'r stafelloedd gwely i gyd yn agor a chau gyda sŵn clepian byddarol o uchel, fel petai corwynt gwyllt yn troi a throsi ar y landin...

... ac yna'r sgrech.

Parhaodd am eiliadau hirion – sgrech merch, sgrech ddirdynnol o gasineb a llid – a daeth merch i lawr y grisiau, gyda symudiadau herciog ac anwastad ond, ar yr un pryd, symudiadau a oedd yn annaturiol o sydyn. Cawsant gip ar ferch ifanc â gwallt tywyll a wyneb gwyn a'i phen yn rhowlio'n llac ar ei gwddf. Rhuthrodd y ddrychiolaeth yma am y düwch yn y cyntedd a'i sgrech yn llenwi'r tŷ, a byrlymu i mewn iddo. Ymsythodd hwnnw gan ruo, ac edrychai fel petai am gyrraedd y nenfwd, ond yna setlodd yn ôl a gwelodd Siân ac Ifan mai hogyn ifanc oedd yno, wedi'i wisgo mewn hwdi.

Trodd y ffigwr yn araf tuag atynt, a dim byd ond düwch i'w weld o dan yr hwd a'r tu mewn iddo.

Yna dechreuodd y pen godi wrth droi tuag atyn nhw.

'Paid ag edrach!' gwaeddodd Ifan, gan droi ei ben ef a phen Siân i ffwrdd oddi wrth y drws...

A chaeodd y drws â chlep a oedd yn ddigon caled i falu'r gwydr yn y paneli'n deilchion mân.

Daeth Lois draw atyn nhw i'r lloches fysus cyn gadael.

'Dwi ddim yn meddwl y byddwn ni'n dŵad yn ôl yma eto,' meddai.

Y tu ôl iddi, dringodd Buddug i mewn i'r car a thanio'r peiriant. Edrychodd atynt a syllu am eiliad cyn troi'i phen i ffwrdd heb hyd yn oed wenu.

Nac ydw, meddyliodd Ifan. Dwi rîli ddim yn leicio'r ddynas yna.

'Ma'n siŵr na fedrwch chi ddisgwl i fynd o 'ma,' meddai Siân.

'Wel... allith Mam ddim disgwl, yndê.'

'A chditha?'

Cododd Lois ei hysgwyddau. 'Fis yn ôl, mi faswn i wedi mynd fel bwlad – mond hannar cyfla. Ond rŵan…?' Edrychodd ar Siân. 'Mi faswn i'n leicio meddwl, taswn i ddim yn mynd, y basat ti a fi wedi tyfu'n dipyn o ffrindia.'

Edrychodd yn ddisgwylgar ar Siân. O'r nefi, dwi ddim mor siŵr erbyn hyn, meddyliodd Siân. Ond pa ddrwg wnaiff gair bach o gelwydd golau rŵan?

Camodd at Lois a'i chofleidio.

'Basan, dwi'm yn ama,' meddai.

Yr ochor arall i'r stryd, canodd Buddug gorn y car yn ddiamynedd. Camodd Lois yn ei hôl ac roedd gwên fach ryfedd ar ei hwyneb. 'Pob lwc i chi'ch dau,' meddai. 'Mi fydda i'n meddwl amdanoch chi. Yn amal iawn,' ychwanegodd. 'A dwi am ddŵad yn ôl i'ch gweld chi, un diwrnod.'

Yna trodd a brysio dros y ffordd ac i mewn i'r car. Gwyliodd Ifan a Siân y Fiesta'n gyrru'n ofalus am y ffordd a arweiniai allan o'r pentref, nes i lorri Spar dynnu allan y tu ôl iddo a'i guddio oddi wrthynt.

'Oedd hi'n fy nghoelio i, ti'n meddwl?' gofynnodd Siân.

'Dwi'm yn siŵr iawn. Anodd deud, yn doedd?'

Cychwynnodd y ddau am adre.

'A be oedd hi'n feddwl, mi fydd hi'n meddwl amdanon ni?' meddai Siân. 'A'r busnas "yn amal iawn" hwnnw.'

'Does wbod. Ond dwi'n gwbod un peth,' meddai Ifan. 'Roedd EmAndEm yn llygad ei le ynglŷn â Lois.'

'Be? O, *weird*, ia?' meddai Siân.

'*Weird* a hannar,' meddai Ifan.

Roedd gyrrwr y lorri Spar wedi blino. Diolch byth, roedd o bron iawn â gorffen am y dydd: dim ond mynd â'r lorri'n ôl i'r depo, a dyna heddiw drosodd i bob pwrpas.

Arafodd ychydig wrth iddo nesáu at gopa Allt Fawr. Hen allt go serth a pheryglus oedd hon – nid fod hynny'n poeni gyrrwr y Fiesta oedd o'i flaen.

Pen bach, meddyliodd y gyrrwr wrth wylio'r car bychan yn gwibio i lawr yr allt fel un o'r ceir gwyllt rheiny oedd ganddyn nhw mewn chwareli ers talwm.

Yna rhythodd. Gallai daeru fod dau berson yn sefyll yng nghanol y ffordd, reit o flaen y Fiesta. Dau o bethau ifanc, bachgen a merch, y bachgen yn gwisgo un o'r topiau hwdi rheiny…

Yna, fel petai o'n gwylio golygfa mewn ffilm, gwelodd y Fiesta'n troi'n wyllt er mwyn osgoi'r cwpwl. Ond roedd yn mynd yn rhy gyflym! Aeth yn syth am y wal garreg ar ochr y ffordd a thrwyddi fel bwled ac i lawr y dibyn.

Sathrodd y gyrrwr ar ei frêciau a sgrialu allan o'r lorri, mewn pryd i weld y Fiesta'n ffrwydro'n fflamau. Deallodd wedyn mai mam a merch oedd yn y car, a bod y fam wedi'i llosgi i farwolaeth.

A bod y ferch wedi'i thaflu allan drwy'r ffenest flaen gan dorri ei gwddf.

Ond doedd dim golwg o'r ferch ifanc a'r bachgen mewn top hwdi yn unman...

Epilog

Y pentref, y mis Mai canlynol

Credai'r cwpwl ifanc fod y tŷ'n fargen. Roedd y gŵr wedi cymryd ato, ond roedd yn amlwg fod amheuon gan y wraig.

'Maen nhw'n dai solat, y cyn dai cyngor 'ma,' meddai'r gwerthwr tai. 'Ac am bris mor isel... wel, fedrwch chi ddim methu.'

'Yn hollol!' Trodd y gŵr at ei wraig. 'Be ti'n feddwl?'

Edrychodd y wraig ar y gwerthwr. 'Mi ro' i gyfla i chi drafod, ia?' meddai hwnnw, ac aeth i lawr y grisiau.

'Dwi ddim yn 'i leicio fo, Meic,' meddai'r wraig ifanc. 'Paid â gofyn pam, dwi jest... ddim yn ei leicio fo.' Trodd ac edrych allan drwy'r ffenest. 'Mae 'na rywbath amdano fo...' Rhwbiodd ei breichiau. 'A dwi ddim yn leicio'r ffordd ma'r iobs lleol yn teimlo'u bod nhw'n cael crwydro i mewn ac allan o'r ardd.'

'Be?' Daeth ei gŵr ati. 'Lle mae o?'

'O...' Edrychodd y wraig i bob cyfeiriad. 'Mi faswn i'n taeru. Rhyw foi ifanc mewn hwdi...' Crynodd. 'Na, sori, Meic. Dwi ddim yn ei leicio fo.'

Brysiodd allan ac i lawr y grisiau i ddweud wrth y gwerthwr. A, wel – hen dro, meddyliodd Meic. Tŷ fel hwn, am bris mor isel... Ond os nad oedd Gemma'n hapus, doedd dim pwynt meddwl amdano.

Cychwynnodd i lawr y grisiau... ac aros. Gallai fod wedi taeru iddo glywed rhywun yn piffian chwerthin...

Brysiodd yntau ar ôl ei wraig, heb fod yn siŵr iawn pam ei fod o'n brysio.

Dim ond bod yn rhaid iddo.

Saith mlynedd yn ddiweddarach

'Mi fuost ti ac Ifan yn lwcus efo'r tywydd, Siân,' meddai ei mam wrth fyseddu drwy'r lluniau priodas.

'Yn do, deudwch? A ffotograffydd da, hefyd.'

'Marc Morris. Dipyn o rwdlyn, yn 'y marn i.'

Chwarddodd Siân. 'Falla – ond ffotograffydd da, Mam.'

'Yndi, dwi'm yn deud. Sut mae o'r dyddia yma? Mae o'n dal yn gloff, yn dydy?'

'Yndi, ond fel arall mae o'n tshampion,' meddai Siân. Heblaw am ambell freuddwyd gas o bryd i'w gilydd, meddyliodd. A ffobia rhyfedd am bentyrrau o hen ddillad – roedd gweld pentwr felly'n ddigon i'w droi'n domen o chwys oer.

'Bobol!' ebychodd ei mam.

'Mmmm?' meddai Siân, a'i meddwl ar Marc o hyd.

'Ma 'na hogan yma, yn y llun grŵp yma... ma hi'r un ffunud â'r ffrind 'na oedd gen ti.'

'Wel, llun grŵp ffrindia ydy o, Mam. Pa un 'dach chi'n feddwl?'

Gwyrodd dros yr albwm gyda'i mam.

'Hon... hon ar y pen. Ysti... yr hogan gafodd ei lladd. Lisa? Na – Lois! Dw't ti ddim yn meddwl, Siân? Siân...? W't ti'n iawn...?'

Hefyd yn y gyfres:

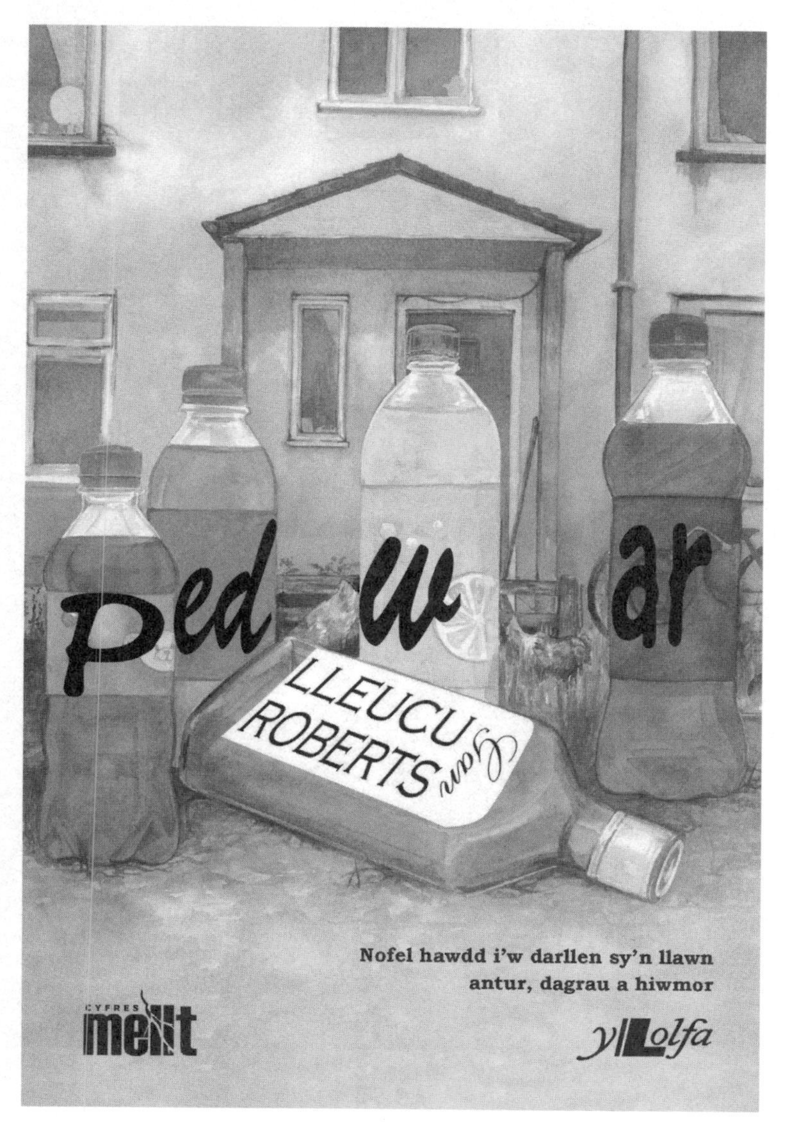

£4.95

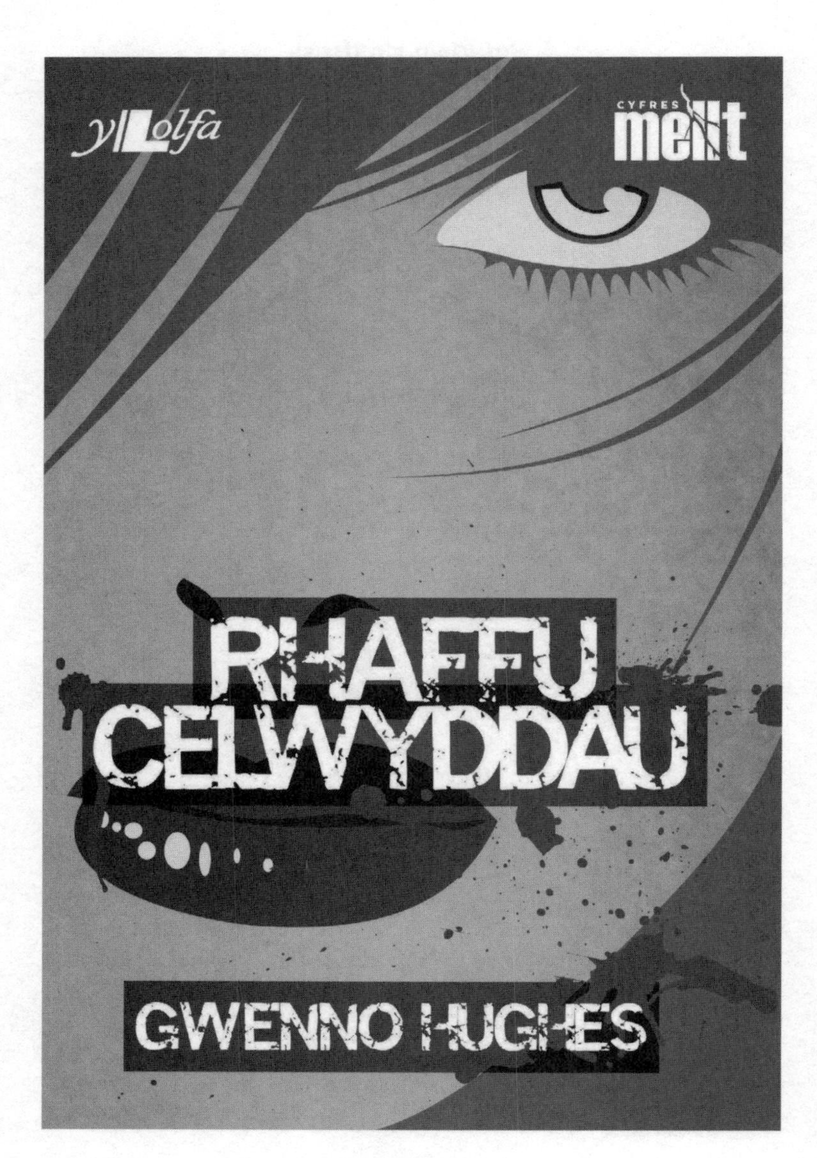

£4.95

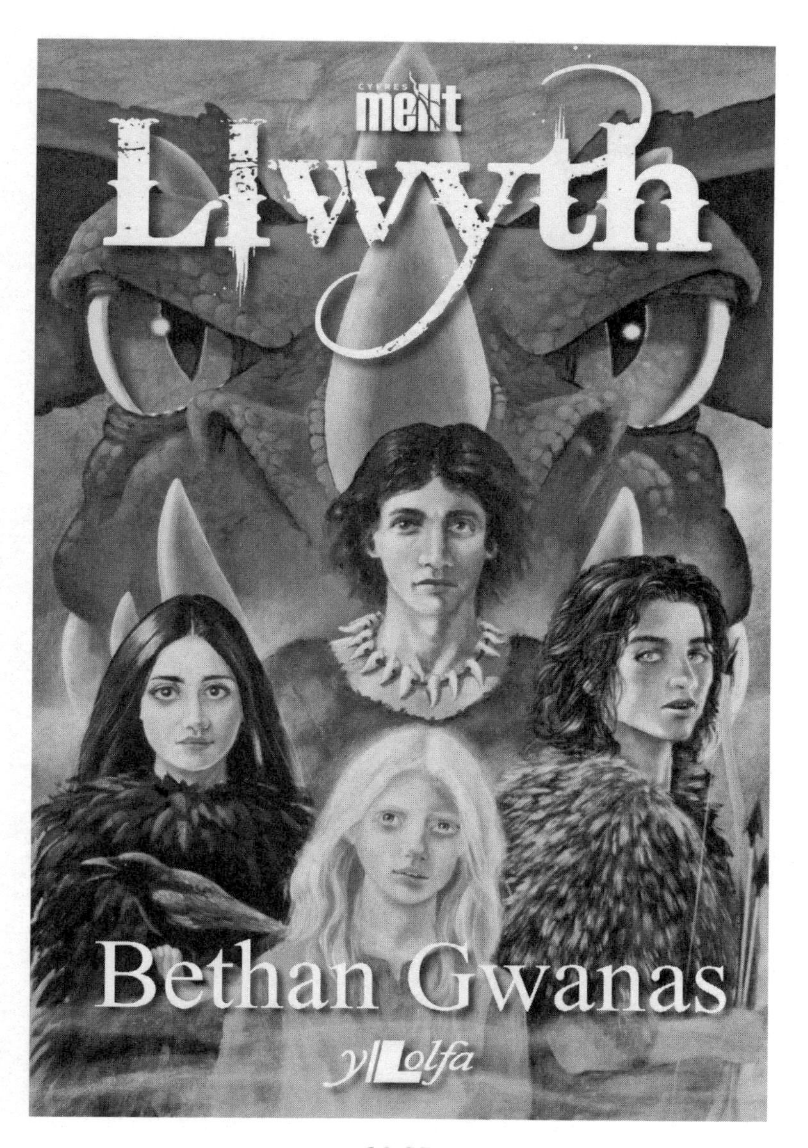

£4.95

£4.95

£4.95

TALYBONT CEREDIGION CYMRU SY24 5HE
ebost ylolfa@ylolfa.com
gwefan www.ylolfa.com
ffôn 01970 832 304
ffacs 832 782